国際交流基金 日本語教授法シリーズ 10

中・上級を教える

国際交流基金　著

国際交流基金
JAPANFOUNDATION

国際交流基金 日本語教授法シリーズ
【全14巻】

 第 1 巻「日本語教師の役割／コースデザイン」

 第 2 巻「音声を教える」[音声・動画・資料　web付属データ]

 第 3 巻「文字・語彙を教える」

 第 4 巻「文法を教える」

 第 5 巻「聞くことを教える」[音声ダウンロード]

 第 6 巻「話すことを教える」

 第 7 巻「読むことを教える」

 第 8 巻「書くことを教える」

 第 9 巻「初級を教える」

 第10巻「中・上級を教える」

 第11巻「日本事情・日本文化を教える」

 第12巻「学習を評価する」

 第13巻「教え方を改善する」

 第14巻「教材開発」

■はじめに

　国際交流基金日本語国際センター（以下「センター」）では1989年の開設以来、海外の日本語教師のためにさまざまな研修を行ってきました。1992年には、その研修用教材として『外国人教師のための日本語教授法』を作成し、主に「海外日本語教師長期研修」の教授法の授業で使用してきました。しかし、時代の流れとともに、各国の日本語教育の状況が変化し、一方、日本語教授法に関する研究も発展したため、センターの研修の形や内容もさまざまに変化してきました。

　そこで、現在センターの研修で行われている教授法授業の内容を新たにまとめ直し、今後の研修に役立て、また広く国内外の日本語教育関係のみなさまにも利用していただけるように、この教授法シリーズを出版することにしました。この教材の主な対象は、海外で日本語教育を行っている日本語を母語としない日本語教師ですが、広くそのほかの日本語教育関係者や、改めて日本語教授法を独りで学習する方々にも役立てていただけるものと考えます。また、現在教師をしている方々を対象としていますが、日本語教育経験の浅い先生からベテランの先生まで、できるだけ多くのみなさまに利用していただけるよう工夫しました。

■この教授法シリーズの目的

　このシリーズでは、日本語を教えるための必要な基礎的知識を紹介するだけでなく、実際の教室で、その知識がどう生かせるのかを考えてもらうことを目的としています。

　国際交流基金日本語国際センターでは、教師の基本的な姿勢として、特に次の能力を育てることを目的として研修を行ってきました。その方針はこのシリーズの中でも基本的な考え方となっています。

１）自分で考える力を養う

　理論や知識を受身的に身につけるのではなく、自分で考え、理解して吸収する力を身につけることを目的とします。

２）客観性、柔軟性を養う

　自分のこれまでの方法、考え方にとらわれず、ほかの教師の意見や方法を知り、客観的に理解し、時には柔軟に受け入れることのできる教師を育てることをめざします。

3）現実を見つめる視点を養う

つねに現状や与えられた環境、自分の特性や能力を客観的に正確に把握し、自分の現場に合った適切な方法を見つける姿勢を育てることをめざします。

4）将来的にも自ら成長できる姿勢を養う

研修終了後もつねに自分自身で課題を見つけ、成長しつづける自己研修型の教師を育てることをめざします。

■この教授法シリーズの構成

このシリーズは、テーマごとに独立した巻になっています。どの巻からでも学習を始めることができます。各巻のテーマと概要は以下の通りです。

第1巻	日本語教師の役割／コースデザイン	日本語を教えるうえでの全体的な問題をとりあげます。
第2巻	音声を教える	
第3巻	文字・語彙を教える	
第4巻	文法を教える	
第5巻	聞くことを教える	各項目に関する基礎的な知識の整理をし、具体的な教え方について考えます。
第6巻	話すことを教える	
第7巻	読むことを教える	
第8巻	書くことを教える	
第9巻	初級を教える	各レベルの教え方について、総合的に考えます。
第10巻	中・上級を教える	
第11巻	日本事情・日本文化を教える	
第12巻	学習を評価する	
第13巻	教え方を改善する	
第14巻	教材開発	

■この巻の目的

この巻の目的は、主に海外の日本語の授業で、「中級」「上級」というレベルをどのように考え、どのように授業を設計すればよいかを考えることです。

この巻の目標は、以下の3点です。

①「中級」「上級」とは、どのようなレベルなのかを考えます。
②「中級」「上級」では、何を教えればよいかを考えます。
③「中級」「上級」の力を養成するための活動や練習が、それぞれどのような目的で行われているかを分析します。そして、授業では、どのような順番で、どのような活動や練習をすればよいのかを考えます。

■この巻の構成

1．構成

本書の構成は以下のようになっています。

1.「中級」「上級」とは
　　＊レベル記述の観点を整理します。
　　＊「課題」達成を中心に能力基準を考えます。

2.「中級」「上級」の授業で教えること
　　＊「課題」を達成するために必要な能力とは何かを考えます。
　　＊「課題」達成に必要な能力を実際に課題に基づいて分析します。

3.「中級」「上級」の教え方
　　＊「内容重視」「インプットからアウトプットへ」「多技能統合型の授業デザイン」「流暢さの養成」という4つの観点をもとに、具体的な活動や練習を分析します。
　　＊効果的な授業の流れを考えます。

4.「中級」「上級」の授業の実際
　　＊「中級」「上級」の多技能統合型の授業例を紹介します。

2．各章の課題（【質問】）

この巻の中の各課題（【質問】）は、それぞれ次のような内容に分かれています。

 ふり返りましょう

自分自身の体験や教え方をふり返る

 考えましょう

「中級」「上級」の教え方について与えられた条件のもとで考える

 やってみましょう

実際に活動などの計画を立ててみる

 整理しましょう

そこまでに考えたこと、学んだことをもう一度ふり返って整理する

目次

1 「中級」「上級」とは ……………………………………… 2
- 1-1.「初級」「中級」「上級」を分ける基準 ……………………… 2
- 1-2.「課題」遂行を中心にした能力基準 ……………………… 5
- 1-3.「中級」「上級」とは 〜「課題」遂行の観点から〜 …………… 12

2 「中級」「上級」の授業で教えること ……………………… 18
- 2-1.「中級」「上級」のコースデザイン ……………………… 18
- 2-2.「課題」遂行のコース目標 ……………………… 20
- 2-3.「課題」遂行を中心にしたシラバス ……………………… 22
  - (1)「話題・場面」
  - (2)「到達目標」と「教室活動」
  - (3) 言語知識や能力
- 2-4.「読む」活動と言語知識や能力 ……………………… 35
  - コラム 語彙のレベル判定
- 2-5.「聞く」活動と言語知識や能力 ……………………… 40
- 2-6.「話す」活動と言語知識や能力 ……………………… 42
- 2-7.「書く」活動と言語知識や能力 ……………………… 45

3 「中級」「上級」の教え方 ……………………… 48
- 3-1.「中級」「上級」を教えるときの基本的な考え方 ……………………… 48
  - (1) 内容重視
  - (2) インプットからアウトプットへ
  - (3) 多技能統合型の授業デザイン
  - (4) 流暢さ（fluency）の養成
- 3-2. 多技能統合型の授業デザイン ……………………… 51
- 3-3. ウォーミング・アップの活動 ……………………… 53

3-4. インプット中心の活動 ･････････････････････････････････ 53
　(1)「読む」活動
　　[コラム] 読解・聴解のストラテジーと既知語率
　(2)「聞く」活動
3-5. 語彙や文型・表現の練習 ･････････････････････････････ 78
　　[コラム] ディクトグロス
　　[コラム] 理解語彙と使用語彙
3-6. アウトプット中心の活動 ･････････････････････････････ 91
　(1)「話す」活動
　　[コラム] タスク先行型のロールプレイ
　　[コラム] ピア活動
　(2)「書く」活動
3-7. 活動の評価とふり返り ･････････････････････････････ 112
3-8. いろいろなリソース ･･･････････････････････････････ 118
　　[コラム] ウェブサイトの利用

4 「中級」「上級」の授業の実際 ････････････････････････ 122
4-1.「中級」の授業の実際 ･･････････････････････････････ 122
4-2.「上級」の授業の実際 ･･････････････････････････････ 144
　　[コラム] プロジェクト・ワーク
　　[コラム] ディスカッション・ディベート・シミュレーション

解答・解説編 ･･･ 154

【参考文献】 ･･･ 178

参考資料 ･･･ 183

 # 「中級」「上級」とは

　日本語のコースでは、「初級」「中級」「上級」などのように、学習段階（レベル）を分けることがあります。また、「初級」のはじめの段階を「導入期」「入門期」と呼んだり、「中級」を「中級前期」と「中級後期」に分けたりすることもあります。さらに、初級から中級への架け橋の時期を「初中級」と呼ぶこともあります。
　この章では、そうした学習段階（レベル）を分ける能力基準について考え、「中級」「上級」が「初級」とどう違うのか、どのような段階を指すのかを考えます。

1-1.「初級」「中級」「上級」を分ける基準

 ふり返りましょう

【質問1】
みなさんが日本語を教えている機関（学校）では、学習段階（レベル）をどのように分けていますか。「初級」「中級」「上級」という呼び方で分けていますか。そのような呼び方をしない場合、どのような呼び方をしていますか。
今、日本語を教えていない人は、自分が外国語を学んでいたときのことを思い出して書いてください。また、機会があれば、自分の機関（学校）以外の人とも話してみましょう。

　機関（学校）によって、学習者の学習段階（レベル）を、「初級」「中級」「上級」といった呼び方で分けている場合もあれば、そうした意識はなく、「1年生」「2年生」「3年生」のように学年によって分けている場合もあります。また、その学習段階（レベル）を区別する基準も、機関（学校）によって、はっきりした基準がある場合もあれば、そうした基準がない場合もあると思います。次の【質問2】で、より具体的に考えてみましょう。

 考えましょう

【質問2】

次の例は、【質問1】に対して、ある日本語教育機関の先生が答えた例です。【質問1】でみなさんが答えた回答と、それぞれの機関A、B、Cの回答は似ているところがありますか。それぞれの機関A、B、Cの学習段階（レベル）の分け方には、どのような基準や観点が含まれているでしょうか。

A.「○○日本語学校」の場合

私の学校では大体、最初の半年で『みんなの日本語初級Ⅰ、Ⅱ』(*1)を終えます。その段階で一応、初級が終わったと考えています。時間にすれば450時間です。この「初級クラス」が終わると「中級クラス」に進みます。問題は中級と上級の境目ですが、これはあまりはっきりしません。特に「上級クラス」という呼び方もしていません。10月に入学した学習者が半年で初級を終えて、次の半年で『日本語中級J301』(*2)や『J. Bridge』(*3)『トピックによる日本語総合演習中級前期・中級後期』(*4)で勉強します。さらに『トピックによる日本語総合演習上級』(*5)で勉強して、『国境を越えて』(*6)を使ったり、それ以外は新聞、雑誌、テレビニュースなどのいわゆる生教材をあつかったりするようになるのですが、そうなるともう上級だね、という感じです。

B.「△△大学」の場合

「初級」「中級」という呼び方はしません。私の大学の場合、まったくゼロから始める人はいません。学生の日本語レベルはばらばらで、クラス分けをするときにとても困っています。「テ形」が定着していれば中級レベルという感覚です。生教材が使えるようになると、上級です。

C.「××高校」の場合

私の高校では、ほとんどの人はゼロから日本語を学習します。1年生のときは、日本語で簡単なあいさつや自己紹介、それに簡単な買い物などができるようになることをめざしています。2年生は、自分の家族や学校など身の回りのことについて説明ができるようになること、3年生になると少し自分の意見が言えるようになることをめざします。初級、中級、上級といった呼び方はしませんが、3年生になっても中級とは言えないと思います。

日本語教育機関A「〇〇日本語学校」の場合、学習段階（レベル）が、「初級」「中級」といった呼び方で分けられていますが、それらの段階は、主に**学習時間と教科書**や使用する素材の違いによって分けられています。日本語教育機関B「△△大学」の場合、「テ形」といった**文法知識**が基準の１つとなっています。日本語教育機関C「××高校」の場合、「1年生」「2年生」といった学年によって学習段階（レベル）が分けられていますが、それぞれの学年で、「簡単なあいさつ」「自己紹介」「簡単な買い物ができる」「説明ができる」「意見が言える」など、ことばを使って何ができるようになるかという**言語行動**が各学習段階（レベル）の目標になっています。

このように、機関（学校）によってさまざまな基準や目標があることがわかります。このほかにも、漢字の数や語彙の数、話すことだけでなく、読む、書く、聞く能力についても基準や目標が決められている機関（学校）もあるかもしれません。

 考えましょう

【質問3】
【質問2】では、機関（学校）によってさまざまな基準で学習段階（レベル）を分けていることを見ました。その中で、各機関の中でしか使えない基準はどれですか。また、ほかの機関の学習者のレベルと比較するうえで使うことのできる基準はどれだと思いますか。

日本語教育機関Aに述べられているような、学習時間、教科書といった基準は、一見わかりやすいですが、実は学習者の能力を表しているものではありません。教えた教科書の内容がすべて学習者の能力につながるわけではありませんし、学習者によってその能力の伸びには違いがあるからです。さらに、異なる機関であれば、たとえ同じ教科書、同じ時間数で教えたとしても、学習環境や教え方が異なり、当然そこで得られる日本語能力も違うことが予想されます。この基準は、１つの機関（学校）の中で、同じ条件で入学してきた学習者を対象に、同じカリキュラム（スケジュール、教材、教え方など）で教えているような場合に、とりあえず学習段階を分けるために使うことのできる基準にすぎません。

日本語教育機関Bのような「『テ形』が定着していれば中級レベルという感覚」とはどのようなことを意味するのでしょうか。たしかに「テ形」は「～て、～ます」のような接続表現や「～ています」「～てしまいます」などのような時間の相（ア

スペクトと呼ばれるもの）を示す表現など、さまざまな表現に使われるため、こうした表現が理解でき、また使うことができるのであれば、「中級」レベルに入ったと言えるかもしれません。こうした基準は、1つの機関の中だけでなく、ほかの機関の人にも理解してもらえるものでしょう。しかし、この基準はたくさんある文法項目の中の一部であり、これだけでレベルを判断することは難しいと考えます。また、「中級」「上級」とレベルが上がっていくと、言語知識の量は増え、膨大なものになります。そうした知識の量で日本語運用力を測ることは難しくなります。

　日本語教育機関Cのような「〇〇ができる」という、言語行動で各レベルの目標が述べられている場合はどうでしょうか。このような記述であれば、ある程度、ほかの機関（学校）の先生にも理解してもらえます。また、ほかの機関の学習者のレベルと比較するうえで使うこともできるでしょう。

　この本では、さまざまな学習機関（学校）で教える教師が共通に理解できる基準を使い、「中級」「上級」レベルの能力を身につけさせるためには何をどのように教えるのかを考えます。したがって、「中級」「上級」を、日本語教育機関Cの基準のような、ことばを使って「何ができるか」、どのような「課題」が遂行できるかという言語行動目標で考えます。

1-2.「課題」遂行を中心にした能力基準

　ことばを使って「何ができるか」、どのような「課題」が遂行できるかという観点で能力基準を考えるとき、参考になる能力基準枠があります。見てみましょう。

ヨーロッパ共通参照枠（Common European Framework of Reference for Languages : Learning, teaching, assessment）

　次ページの表1は、「ヨーロッパ共通参照枠（Common European Framework of Reference for Languages : Learning, teaching, assessment）」（以下CEFR）の「共通参照レベル：全体的な尺度」を示したものです。CEFRは、ヨーロッパにおいて言語教育のシラバスやカリキュラムガイドラインを作ったり、言語を教えたり、言語教育を評価したりするための共通の枠組みで、6段階に分けて、学習者の熟達度のレベルを記述しています。

　CEFRでは、レベルの記述が「〜できる」という行動目標（Can Do Statements）になっています。実際の社会で、ことばを使って何ができるか、その言語行動が、ことばを学ぶこと／教えることの目的となっているからです。

<h2>表1　ヨーロッパ共通参照枠（CEFR）・共通参照レベル：全体的な尺度</h2>

熟達した言語使用者	C2	聞いたり、読んだりしたほぼすべてのものを容易に理解することができる。いろいろな話し言葉や書き言葉から得た情報をまとめ、根拠も論点も一貫した方法で再構成できる。自然に、流暢かつ正確に自己表現ができ、非常に複雑な状況でも細かい意味の違い、区別を表現できる。
	C1	いろいろな種類の高度な内容のかなり長いテクストを理解することができ、含意を把握できる。 言葉を探しているという印象を与えずに、流暢に、また自然に自己表現ができる。社会的、学問的、職業上の目的に応じた、柔軟な、しかも効果的な言葉遣いができる。複雑な話題について明確で、しっかりした構成の、詳細なテクストを作ることができる。その際テクストを構成する字句や接続表現、結束表現の用法をマスターしていることがうかがえる。
自立した言語使用者	B2	自分の専門分野の技術的な議論も含めて、抽象的かつ具体的な話題の複雑なテクストの主要な内容が理解できる。 お互いに緊張しないで母語話者とのやり取りができるくらい流暢かつ自然である。かなり広汎な範囲の話題について、明確で詳細なテクストを作ることができ、さまざまな選択肢について長所や短所を示しながら自己の視点を説明できる。
	B1	仕事、学校、娯楽で普段出会うような身近な話題について、標準的な話し方であれば主要点を理解できる。 その言葉が話されている地域を旅行しているときに起こりそうな、たいていの事態に対処することができる。 身近で個人的にも関心のある話題について、単純な方法で結びつけられた、脈絡のあるテクストを作ることができる。経験、出来事、夢、希望、野心を説明し、意見や計画の理由、説明を短く述べることができる。
基礎段階の言語使用者	A2	ごく基本的な個人的情報や家族情報、買い物、近所、仕事など、直接的関係がある領域に関する、よく使われる文や表現が理解できる。 簡単で日常的な範囲なら、身近で日常の事柄についての情報交換に応ずることができる。 自分の背景や身の回りの状況や、直接的な必要性のある領域の事柄を簡単な言葉で説明できる。
	A1	具体的な欲求を満足させるための、よく使われる日常的表現と基本的な言い回しは理解し、用いることもできる。 自分や他人を紹介することができ、どこに住んでいるか、だれと知り合いか、持ち物などの個人的情報について、質問をしたり、答えたりできる。 もし、相手がゆっくり、はっきりと話して、助け船を出してくれるなら簡単なやり取りをすることができる。

『外国語教育Ⅱ―外国語学習、教授、評価のためのヨーロッパ共通参照枠―』（朝日出版社）p.25 より

JF日本語教育スタンダード

　国際交流基金では、CEFRの考え方を基礎にして、2010年に「JF日本語教育スタンダード」（以下JFスタンダード）を開発しました。このJFスタンダードは、日本語の教え方、学び方、そして学習成果の評価の仕方を考えるためのツールです。

　JFスタンダードでは「JFスタンダードの木」によってCEFRのコミュニケーション言語能力（communicative language competences）とコミュニケーション言語活動（communicative language activities）の関係を整理しています。この図ではコミュニケーション言語能力は木の根として表現され、語彙、文法、発音、文字、表記などに関する「言語構造的能力」、相手との関係や場面に応じて適切に言語を使う「社会言語能力」、談話を組み立てたりコントロールしたりする談話能力と言語使用の役割や目的（例：事実を報告する、説得するなど）を理解したうえで適切に使用できる機能的能力を含む「語用能力」の3つから構成されています。

　コミュニケーション言語活動は、読んだり聞いたりする「受容」、話したり書いたりする「産出」、会話などを行なう「やりとり」、さらに、その3つをつなぐ役割を果たす「テクスト」や、各活動と能力をつなぐ「方略」に分類されています。

　また、コミュニケーションのためには、この図で示したもの以外にも、文化に対する知識や専門知識などさまざまな能力や経験が必要であるとしています。

　JFスタンダードのウェブサイト（https://www.jfstandard.jpf.go.jp/）では、「みんなのCan-doサイト」というサイトが用意されています。このサイトは、日本語で何がどれぐらいできるかを「～ができる」という文で示した「Can-do」のデータベースで、コースデザイン、授業設計、教材開発などに利用できます(*7)。

ACTFL(The American Council on the Teaching of Foreign Languages：全米外国語教育協会) – OPI(Oral Proficiency Interview：口頭表現能力テスト)

　ACTFL(The American Council on the Teaching of Foreign Languages：全米外国語教育協会)は、Proficiency Guidelines（言語能力基準）を設け、それに基づく能力テストを開発しています。この能力基準は技能別にも基準が設けられていますが、日本語に関しては、「話」技能の評価基準にそって行われる口頭テスト：OPI(Oral Proficiency Interview)が、よく利用されています。この基準では、口頭表現能力の判定基準を、「総合的タスク・機能」「社会的場面と話題領域」「正確さ」「テキストの型」に分類して記述しています（p.9 表2）。この基準でも、ことばを使って何ができるかを示す「総合的タスクと機能」が軸になっています。

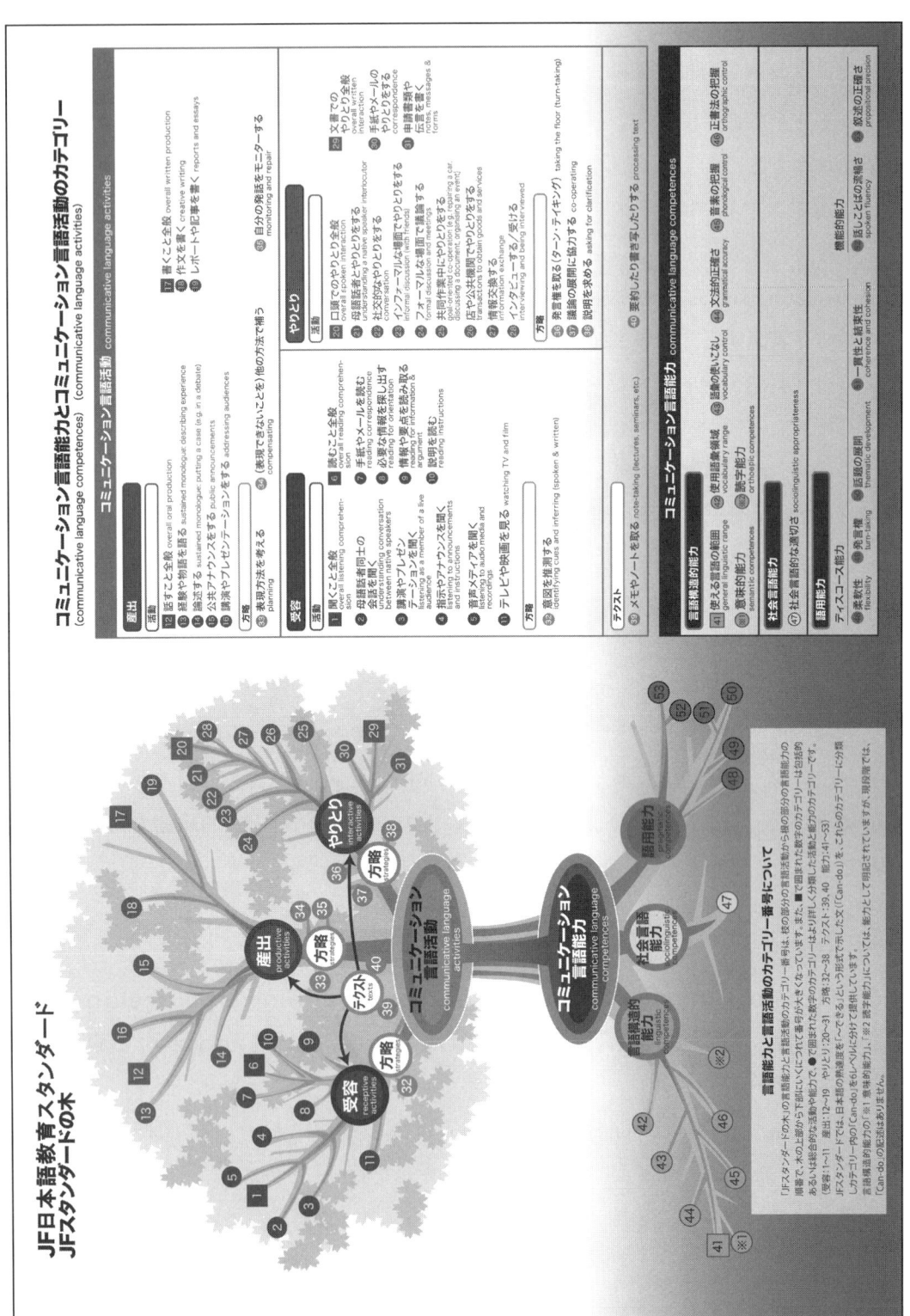

『JF日本語教育スタンダード［新版］利用者のためのガイドブック』（国際交流基金）p.10-11 より

図1　JFスタンダードの木

表2 ACTFL-OPI「判定基準―話技能」

運用能力レベル	総合タスクと機能	場面/話題	正確さ	テキストの型
超級	いろいろな話題について広範囲に議論したり、意見を裏付けたり、仮説を立てたり、言語的に不慣れな状況に対応したりすることができる	ほとんどのフォーマル/インフォーマルな場面/広範囲にわたる一般的興味に関する話題、およびいくつかの特別な関心事や専門領域に関する話題	基本的言語構造に関してはパターン化した間違いがない。誤りがあっても、実質的には、コミュニケーションに支障をきたしたり、母語話者を混乱させたりすることはない	複段落
上級	主な時制の枠組みの中で、叙述したり、描写したりすることができ、予期していなかった複雑な状況に効果的に対応できる	ほとんどのインフォーマルな場面といくつかのフォーマルな場面/個人的・一般的な興味に関する話題	母語話者でない人との会話に不慣れな聞き手でも、困難なく理解できる	段落
中級	自分なりの文を作ることができ、簡単な質問をしたり相手の質問に答えたりすることによって、簡単な会話なら自分で始め、続け、終わらせることができる	いくつかのインフォーマルな場面と、事務的・業務的な場面の一部/日常的な活動に関する、予想可能で、かつ身近な話題	母語話者でない人との会話に慣れている聞き手には、何度かくり返すことによって、理解してもらえる	文
初級	丸暗記した型通りの表現、単語の羅列、句を使って、最小限のコミュニケーションをする	もっともありふれた、インフォーマルな場面/日常生活における、もっともありふれた事柄	母語話者でない人との会話に慣れている聞き手でさえ、理解するのが困難である	単語と句

『ACTFL－OPI試験官養成用マニュアル』(ALC Press) p.41 より

日本語能力試験

表3は、国際交流基金と日本国際教育支援協会が実施している「日本語能力試験」の各レベルの認定の目安です。「読む」「聞く」といった技能に限ってはいますが、ここでも、レベルの認定の目安が、ことばを使って「何ができるか」という言語行動で書いてあります。能力基準を考えるときに、参考にすることができます。

表3　N1～N5：認定の目安

各レベルの認定の目安は下のとおりです。認定の目安を読む、聞くという言語行動で表しています。それぞれのレベルには、これらの言語行動を実現するための言語知識が必要です。

レベル	認定の目安
N1	**幅広い場面で使われる日本語を理解することができる** 読む・幅広い話題について書かれた新聞の論説、評論など、論理的にやや複雑な文章や抽象度の高い文章などを読んで、文章の構成や内容を理解することができる。 ・さまざまな話題の内容に深みのある読み物を読んで、話の流れや詳細な表現意図を理解することができる。 聞く・幅広い場面において自然なスピードの、まとまりのある会話やニュース、講義を聞いて、話の流れや内容、登場人物の関係や内容の論理構成などを詳細に理解したり、要旨を把握したりすることができる。
N2	**日常的な場面で使われる日本語の理解に加え、より幅広い場面で使われる日本語をある程度理解することができる** 読む・幅広い話題について書かれた新聞や雑誌の記事・解説、平易な評論など、論旨が明快な文章を読んで文章の内容を理解することができる。 ・一般的な話題に関する読み物を読んで、話の流れや表現意図を理解することができる。 聞く・日常的な場面に加えて幅広い場面で、自然に近いスピードの、まとまりのある会話やニュースを聞いて、話の流れや内容、登場人物の関係を理解したり、要旨を把握したりすることができる。
N3	**日常的な場面で使われる日本語をある程度理解することができる** 読む・日常的な話題について書かれた具体的な内容を表す文章を、読んで理解することができる。 ・新聞の見出しなどから情報の概要をつかむことができる。 ・日常的な場面で目にする難易度がやや高い文章は、言い換え表現が与えられれば、要旨を理解することができる。 聞く・日常的な場面で、やや自然に近いスピードのまとまりのある会話を聞いて、話の具体的な内容を登場人物の関係などとあわせてほぼ理解できる。
N4	**基本的な日本語を理解することができる** 読む・基本的な語彙や漢字を使って書かれた日常生活の中でも身近な話題の文章を、読んで理解することができる。 聞く・日常的な場面で、ややゆっくりと話される会話であれば、内容がほぼ理解できる。
N5	**基本的な日本語をある程度理解することができる** 読む・ひらがなやカタカナ、日常生活で用いられる基本的な漢字で書かれた定型的な語句や文、文章を読んで理解することができる。 聞く・教室や、身の回りなど、日常生活の中でもよく出会う場面で、ゆっくり話される短い会話であれば、必要な情報を聞き取ることができる。

『新しい「日本語能力試験」ガイドブック』（国際交流基金、日本国際教育支援協会）

https://www.jlpt.jp/reference/pdf/guidebook1.pdf より

考えましょう

> 【質問4】
> 【質問1】では、みなさんが日本語を教えている機関(学校)のレベル分けについてふり返りました。レベル分けの基準はさまざまだったと思いますが、表1、表2、表3を見て、「課題」遂行の観点から自分の機関(学校)の各学習段階(レベル)がどのレベルに当たるか考えてみてください。

　自分の機関(学校)の各学習段階(レベル)が、言語知識(漢字、語彙、文法項目など)や学習時間に関する観点から考えられている場合、その学習段階(レベル)を、日本語を使って「何ができるか」といった観点から考え直してみることは難しいことかもしれません。しかし、日本語を学ぶ目的は何でしょうか。日本に留学するため、企業に入って通訳の仕事をするため、日本に旅行するためなどそれぞれに目的があり、そこで日本語を使ってできるようになりたいことがあるはずです。たとえ実際に日本に行く予定がなかったり、日本語を使ってだれかと会話する必要がなくても、読んで理解したり、聞いて理解したりしたいものがあるから日本語を勉強するはずです。学習者の視点に立って目的を理解し、目標設定をすることが必要です。

　さらに、ことばのレベルが上がるほど、言語知識や学習時間でレベルを判断することは難しくなってきます。「中級」「上級」までを視野に入れて学習者の学習段階(レベル)を把握するためには、日本語を使って「何ができるか」、どのような「課題」が遂行できるかを考えた能力基準を取り入れる必要があります。

1-3.「中級」「上級」とは 〜「課題」遂行の観点から〜

では、具体的に、「初級」「中級」「上級」とレベルが上がるにつれて、「できること」、遂行できる「課題」はどのように変わるのか、考えてみましょう。

 考えましょう

【質問5】
次の □ の中の文は、表1「ヨーロッパ共通参照枠・共通参照レベル：全体的な尺度」(p.6)の「理解」に関する文章を取り出して並べたものです。

C2　聞いたり、読んだりしたほぼすべてのものを容易に理解することができる。

C1　いろいろな種類の高度な内容のかなり長いテクストを理解することができ、含意を把握できる。

B2　自分の専門分野の技術的な議論も含めて、抽象的かつ具体的な話題の複雑なテクストの主要内容が理解できる。

B1　仕事、学校、娯楽で普段出会うような身近な話題について、標準的な話し方であれば主要点を理解できる。

A2　ごく基本的な個人的情報や家族情報、買い物、近所、仕事など、直接的関係がある領域に関する、よく使われる文や表現が理解できる。

A1　具体的な欲求を満足させるための、よく使われる日常的表現と基本的な言い回しは理解し、用いることもできる。

レベルが上がるにつれてどのように記述が変わるか考えてみましょう。
上の文の中に次のキーワードを探し、○で囲んでください。どのようにキーワードが変化していきますか。

<キーワード>

日常的（な）	基本的（な）	個人的（な）	直接的（な）	身近（な）
具体的（な）	抽象的（な）	標準的（な）	複雑（な）	高度（な）
主要（な）	主要点	専門	技術的（な）	含意
いろいろ（な）	よく使われる	ほぼすべて	長い	容易（に）

キーワードを、理解できる「話題、内容、場面」に関すること、理解できる「文、表現、テクスト、話し方など」に関すること、「その他（どの部分、どのように理解できるのか）」に分けて整理すると次のようになります。

	話題、内容、場面	文、表現、テクスト、話し方など	その他（どの部分・どのように）
C2	ほぼすべて		容易に
C1	いろいろな、高度な	長い	含意
B2	専門、技術的、抽象的、具体的	複雑	主要な
B1	身近	標準的	主要点
A2	基本的　個人的　直接的	よく使われる	
A1	具体的	日常的、基本的	

並べたキーワードから、次のことがわかります。

レベルが上がるにつれ、理解できるものは、「話題、内容、場面」については「具体的」（A1）、「基本的」「個人的」「直接的」（A2）なものから「身近」（B1）、さらに「専門」「技術的」、「抽象的」かつ「具体的」（B2）なものへ、そして「いろいろな」「高度な」（C1）もの、最後に「ほぼすべて」（C2）のものが理解できるようになります。

文、表現、テクスト、話し方などについては、「日常的」「基本的」（A1）、「よく使われる」（A2）ものから「標準的」（B1）、「複雑」（B2）なものへ、そして「長い」（C1）、最後には、「ほぼすべて」（C2）のものが「容易に」理解できるようになります。

表2『ACTFL-OPI「判定基準―話技能」』（p.9）でも、同様のことばが使われています。「場面／話題」の欄を見ると、「初級」では「日常生活」「もっともありふれたインフォーマルな場面」、「中級」では「いくつかのインフォーマルな場面」「事務的」「業務的」「日常的な活動」、「上級」では「ほとんどのインフォーマルな場面といくつかのフォーマルな場面」「個人的」「一般的」、そして「超級」では「ほとんどのフォーマル／インフォーマルな場面」「広範囲」「一般的」「特別な関心事」「専門領域」といった表現が使われています。

表3「N1〜N5：認定の目安」（p.10）でもN5、N4の記述には「基本的な日本語」、N3では「日常的な場面」、N2、N1では「幅広い場面」ということばが使われています。

ここで概観した能力基準は、レベルのとらえ方、区切り方、レベルの名称の点では異なる点がいくつもありますが、コミュニケーション能力を、「できること」、遂行できる「課題」の観点からとらえ、「基本的」「日常的」な「課題」遂行しかできない「基礎的な段階」あるいは「初級」と呼ばれる段階から、やがて徐々にできることが増え、「自立した言語使用者」となり、「一般的」「専門的」な「課題」を遂行することのできる「熟達した」あるいは「上級」と呼ばれる段階へと変わっていくととらえていると言えます。ほかにも、世界にはいろいろな言語基準や言語テストがありますが(*8)、一般的に「課題」遂行の観点から考えられた基準やテストには、能力の段階をこのようにとらえているものが多いと考えます。

 整理しましょう

　本章では、「中級」「上級」レベルを考えるうえでの観点を整理し、「課題」遂行を中心に能力基準を見てきました。大事なことは、言語知識という限られた観点からだけではなく、ことばを使ってどのような「課題」を遂行できるかという観点からもレベルをとらえることです。

　この本では、これまで見てきた能力基準にあるように、「基本的」「日常的」な「課題」遂行しかできない「基礎的な段階」あるいは「初級」と呼ばれる段階ではなく、その次に続く、より広い世界で、自立的に、徐々に複雑な表現を使って、課題を遂行していくことが可能になる「中級」「上級」レベルに焦点を当て、教え方について考えていきます。便宜的に、「中級」「上級」という名称を使い、それぞれのレベルを次のように設定します(*9)。

「中級」「上級」とは

> 中級：身近な話題だけでなく、一般的な話題について、聞いたり話したり、やり取りをしたり、読んだり書いたりすることができるレベル。やや複雑な構文を含むまとまりのある文章や発話などを理解したり産出したりできる。やや複雑な課題にも対応でき、連続したやり取りや、相手に配慮したコミュニケーションもできる。
>
> 上級：社会生活におけるほとんどの場面で、大きな問題なく、さまざまな状況や相手に配慮した適切なコミュニケーションができるレベル。複雑で困難な課題や、専門的な話題や抽象的な内容についても対応できる。

【質問5】で考えたように、各レベルの「課題」（できること）には、話題・場面のほかに、文、表現、話し方などいろいろな要素が関係しています。この本では、それらの要素を「ことばの知識（文法・語彙・音声・文字）」「談話能力」「社会言語能力」「ストラテジー能力」として次の表4のように整理して考えます。なお、初級、中級、上級レベルは連続するものですので、レベルの境界線ははっきりしているわけではありません。また、前のレベルで記述したことは、次のレベルにはすべて含まれていると考えます。

表4　「初級」「中級」「上級」レベルと関係する要素

レベル		初級 （基礎的な段階）	中級 （自立した段階）	上級 （熟達した段階）
話題・場面		基本的、日常的、 個人的、具体的	やや抽象的、 一般的、公的	専門的、抽象的 複雑な状況
課題 （できること）		単純な課題	やや複雑な課題	複雑で困難な課題
ことばの知識	文法	単語　→　短い文　→　長い文　→　段落　→　複段落 単純な表現　　　　　微妙な機能の違いやニュアンスの違いを表す		
	語彙	よく使う単純な語彙　→　一般的な語彙　→　専門的な語彙 　　　　　　　　　微妙な意味の違いを表す		
	音声	たどたどしい発話　　　　　　　　　→　流暢な発話 ゆっくり、はっきりした発音の聞き取り　→　自然な発話の聞き取り		
	文字	ひらがな・カタカナ 　　　日常の漢字　→　　　　　専門分野の漢字		
談話能力		単純な表現　→　文と文の関係性を示す→　段落間の関係性を示す 単純なやり取り　　　　　　→　　　　連続したやり取り		
社会言語能力		配慮のいらない発話　→　相手に合わせたことばの使い分け 　　　　　　　　　　　　　敬語の使用		
ストラテジー能力				

表4の「話題・場面」「ことばの知識（文法、語彙）」「談話能力」「社会言語能力」については、第2章でより具体的に考えます。「ことばの知識」の「音声」「文

字」については、この本では取り上げませんが、本シリーズ第2巻『音声を教える』、第3巻『文字・語彙を教える』を参考にしてください。

注

*1：スリーエーネットワーク（2012）『みんなの日本語初級Ⅰ』、(2013)『みんなの日本語初級Ⅱ』スリーエーネットワーク

*2：土岐哲ほか（1995）『日本語中級J301』スリーエーネットワーク

*3：小山悟（2002）『J. Bridge』凡人社

*4：佐々木薫ほか（2009）『改訂版トピックによる日本語総合演習中級前期』、安藤節子ほか（2009）『改訂版トピックによる日本語総合演習中級後期』スリーエーネットワーク

*5：安藤節子ほか（2010）『改訂版トピックによる日本語総合演習上級』スリーエーネットワーク

*6：山本富美子（2007）『国境を越えて（本文編）改訂版』新曜社

*7：「みんなのCan-doサイト」では、「Can-doを探す」画面から、条件（レベル、種別、カテゴリー、トピックなど）を指定して、「Can-do」を探すことができる。CEFRが提供する493のCEFR Can-doと、国際交流基金が日本語の言語活動の例として示したJF Can-doがデータとして入っている。またJF Can-doは、「自分と家族」「住まいと住環境」「仕事と職業」「買い物」「食生活」など、15のトピックに分類されている。

*8：国立国語研究所編（2006）『世界の言語テスト』くろしお出版などを参照のこと。

*9：表1の「ヨーロッパ共通参照枠（CEFR）・共通参照レベル：全体的な尺度」の、「A1・A2」がこの本でいう「初級」、「B1」が「中級」、「B2」以上が「上級」になる。前述の通り、「初級」「中級」「上級」は、連続したものであり、たとえばA2の課題を遂行できるレベルに達したからといって、その後急にB1の課題が遂行できるレベルに変わるわけではない。一般的に、学習機関(学校)では、この基礎段階が終了し、次の段階を目指しはじめる段階から「中級」クラスと呼ぶことが多い。従って、この本における「中級」も、「中級」を目指しはじめた段階から含めることとし、「ヨーロッパ共通参照枠」で言えば、B1を目標とするレベル、実力としては、B1に入る少し前の段階（A2の後半）からが「中級」に当たるレベルになる。また同様により複雑な課題の遂行を目指すB2に入る少し前の段階(B1の後半)からを「上級」と考える。

MEMO

 # 「中級」「上級」の授業で教えること

　第1章では、「中級」「上級」とはどのようなレベルなのか、「課題」遂行の観点から考えました。第2章では、そうした「中級」「上級」の授業で教える内容について考えます。

2-1.「中級」「上級」のコースデザイン

　コース全体の設計をすることをコースデザインと言います。教える内容は、コースデザインの中で考える必要がありますので、この節では、まず「中級」「上級」のコースデザインをするうえで特徴的なことについて考えます。図2は、コースデザインの流れを示したものです。学習者の「レディネス」とは、学習者がどのような状況にあるか、何ができるかということ、「ニーズ」は、学習の目的、どのような日本語が必要なのかといった問題に関係する項目です。「シラバス」は、学習する内容、「カリキュラム」は、スケジュール、教材、教え方などに関する内容です(*1)。

 ふり返りましょう

【質問6】

「中級」「上級」のコースデザインをするとき、次ページの図2（p.19）のように、まず学習機関（学校）、教師、学習者のことを考えます。特に、学習者の「レディネス」や「ニーズ」について考えることが重要になります。「レディネス」や「ニーズ」の点で、「初級」の学習者と、「中級」「上級」の学習者が大きく違うところはどのようなところでしょうか。「中級」「上級」クラスを教えたことのある人は自分の経験をふり返って考えてみてください。また、日本語の学習経験のある人は、自分が学習者だったときのことを思い出してみてください。

　「中級」「上級」の学習者の特徴は、既に習得している日本語の知識があることです。そして、その知識はみな同じではありません。言語知識の観点だけから、教える内容を考えることは難しくなります。また、学習者のニーズも、言語知識を増やしたいという漠然としたものではなく、日本語を使ってしたいこと、やりたい仕事などがより具体的になっています。第1章では、能力基準、能力評価の観点から、また

日本語学習の目的から、「課題」遂行を中心に能力基準を考えることが必要であると述べましたが、ここで考えたように、特に「中級」「上級」レベルでは、学習者のレディネスやニーズの観点からも、日本語で「何ができるか」という「課題」遂行を中心にコース目標やシラバス（学習する内容）を考える必要があることがわかります。

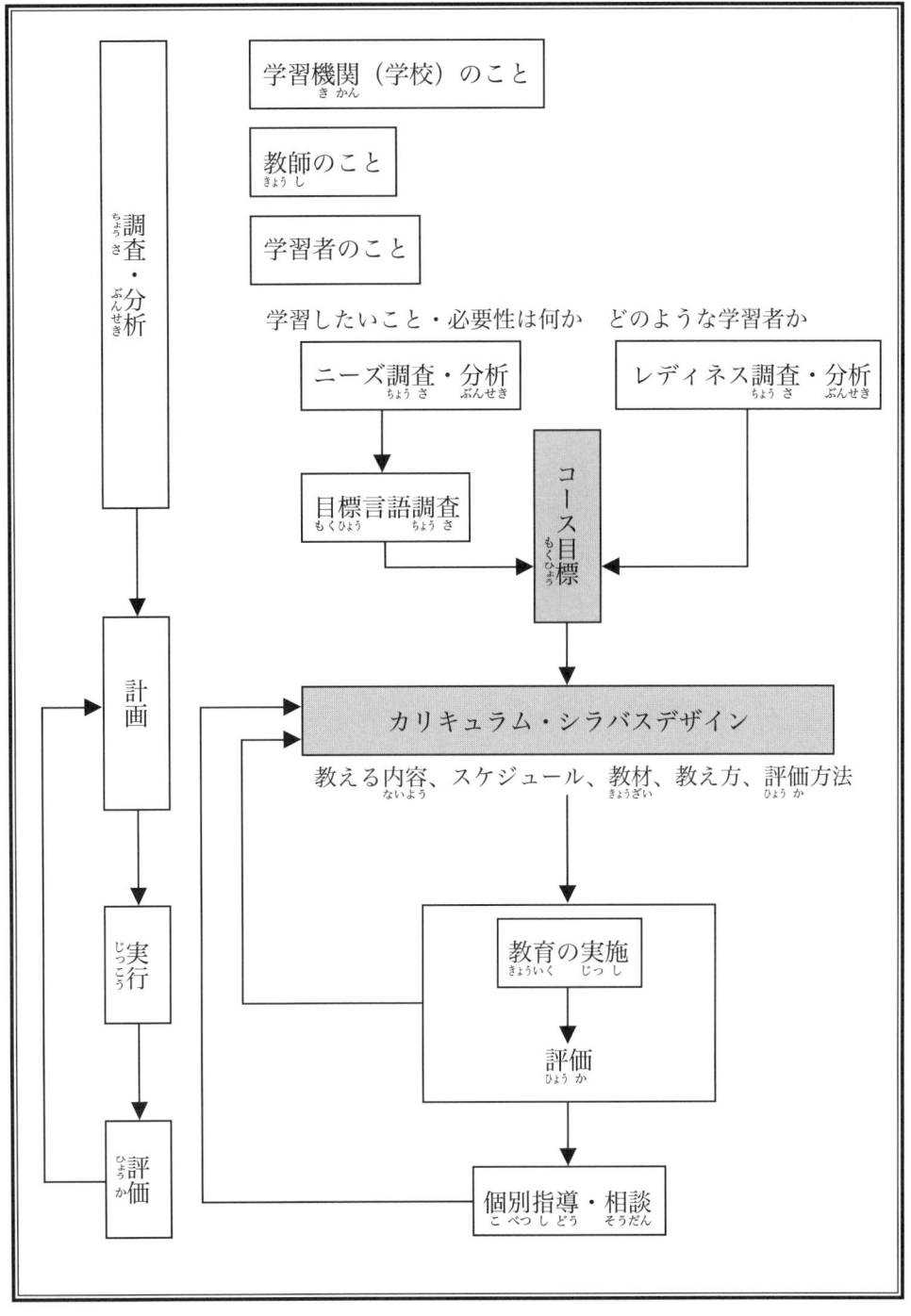

図２　コースデザインの流れ

2-2. 「課題」遂行のコース目標

　この節では、「課題」遂行の観点からコース目標を考えます。表4（p.15）で整理したように、「話題・場面」に関しては、「中級」では「やや抽象的、一般的、公的」、「上級」では、「専門的、抽象的、複雑な状況」です。また課題に関しては、「中級」では「やや複雑な課題」、「上級」では「複雑な課題」です。こうした大まかな基準を念頭において、各コースの学習者や機関などのレディネス、ニーズなどを考えながら全体のコース目標を決めていきます。具体的な例で考えてみましょう。

 考えましょう

【質問7】

次の3つの例を見て、次ページの□で囲ったコース目標A、B、Cのうち、どの目標が当てはまるか考えて（　）に記号を書いてください。

例1）ＳＡＫＵＲＡ大学（仮名）：日本国外の大学。1年間約90時間の授業。
　対象：副専攻で日本語を学ぶ大学生（3年生）
　　　　既に初級レベルの教科書で、基礎的な日本語を2年間学んだ経験がある。日本に数カ月程度の短期留学をした経験をもつ者もいる。将来日本語を使って仕事をするかどうかはわからないが、日本人の留学生や友だちと交流を続け、いろいろな話題でコミュニケーションができるようになりたいと考えている。

　　　　　　　　　　　　　　　　　　　　　　　　　コース目標（　　　　）

例2）さくらビジネス日本語学校（仮名）：日本にある日本語学校。半年間60時間。
　対象：日本の会社で働くビジネスマン
　　　　初級レベルの教科書で日本語を勉強した経験があり、日常的な会話はできる。仕事は英語で行うことができる環境だが、もっと同僚や取引先の人たちと日本語で会話を楽しみたい、業務で必要な基本的なやり取りも、同僚の助けを借りずに日本語で行えるようになりたいと考えている。

　　　　　　　　　　　　　　　　　　　　　　　　　コース目標（　　　　）

例3) うめビジネス日本語学校（仮名）：日本にある日本語学校。半年間60時間。

対象：日本の会社で働くビジネスマン

　　　　日本語と英語を使って仕事を行い、複雑な内容の場合は、日本人の通訳の助けを借りて行ってきた。これからはできるだけ通訳の助けを借りずに、日本語でビジネスをしていきたいと考えている。ややあらたまった場面で印象的なスピーチをしたい、日本の新聞の経済面が読めるようになりたい、仕事上必要な電話をかけたり、問題を解決するための手紙やメールを日本語で書いたりしたい、日本語でプレゼンテーションができるようになりたい、などの希望を持っている。

コース目標（　　　　）

コース目標A

　日本の社会や経済、ビジネスに関係する専門的な話題について、さまざまなメディアから情報を取ることができる。相手や場面に合わせて、適切な会話やスピーチができるようになる。仕事上必要なやり取りや問題解決のための交渉などが、相手に配慮しながら問題なく日本語でできる。

コース目標B

　現代日本事情や、若者文化など、一般的、社会的な話題に関して、まとまった内容を読んだり、聞いたりして理解したり、相手にたずねて情報を取ったりすることができる。また、自分の国の最近の社会的な話題について、情報を相手に伝えたり、日本の場合と比較して話したり、相手と意見交換したりすることができる。

コース目標C

　日本の最近の出来事など、一般的、社会的な話題に関して、相手に合わせた話し方で会話することができる。仕事上必要な、説明する、許可をとる、さそう、提案するなど、基本的な機能が、相手に配慮したことばを使って日本語でできる。

　これはコース全体の目標です。どこまで詳細に、具体的に考えるかは、コースによって異なりますが、話題・場面、内容に関すること、そして言語行動に関することの大枠が書かれている必要があります (*2)。

たとえば、上述のコース目標Bの場合、次のように、太字が「話題・場面」「内容」に関すること、下線が「言語行動」に関することになります。

コース目標B

　現代日本事情や、若者文化など、一般的、社会的な話題に関して、まとまった内容を読んだり、聞いたりして理解したり、相手にたずねて情報を取ったりすることができる。また、**自分の国の最近の社会的な話題について、**情報を相手に伝えたり、日本の場合と比較して話したり、相手と意見交換したりすることができる。

2-3.「課題」遂行を中心にしたシラバス

次にシラバスの具体的な内容について考えます。

 考えましょう

【質問8】

次の2つの表・シラバスA、Bは、【質問7】の例1、例2（p.20）の各コースで教える内容（概略・一部）を並べたものです。それぞれの特徴について考えてください。

例1）ＳＡＫＵＲＡ大学（仮名・日本国外の大学3年生）（中級コース）

＜シラバスA＞1トピック約6時間（2日）：全体で15トピック90時間（30日）

回	話題・場面	到達目標	教室活動	言語知識や能力
1	食生活	日本の食べ物や食生活について書かれたものを読んで理解し、自分の国の場合と比較して意見を述べることができる	＜読む＞日本の食べ物や食生活について書かれたエッセイを読んで理解する ＜話す＞読んだ内容を自国の場合と比較し、発表する	・食生活に関する語彙（外食、スローフード、栄養のバランス…） ・エッセイの段落構成の理解 ・比較して話す表現 ・意見を述べる表現
2	労働観	日本人の労働観に関して、日本の番組を見たり、日本人にイ	＜聞く＞日本人の労働観に関する報道番組を見て理解する	・労働観に関する語彙（やりがい、達成感、サービス残業、

		ンタビューをしたりして調査し、その結果をまとめて報告文を書くことができる	<話す>日本人に労働観についてインタビューする(ビジターセッション) <書く>日本人の労働観に関する報告文を書く	年功序列、能力主義、長期休暇…) ・インタビューを進めるための談話能力(あいづちなど) ・報告文を書くときの表現。段落の構成能力。接続の表現など
3	環境問題	日本の環境問題に関して、まとまった文章や記事を読んだり、アンケート調査をしたりして調べ、その結果をまとめて発表することができる	<読む>環境問題に関するエッセイや記事(新聞記事)を読んで理解する <書く>環境問題についてメールでアンケート調査をする <話す>アンケート調査の内容をまとめ、発表する	環境に関する語彙(二酸化炭素、オゾン層、エコ対策、緑化運動…) メールでアンケートの趣旨を説明したり依頼したりするときの表現 発表で、統計結果や分析結果を説明するときの表現

例2) さくらビジネス日本語学校(仮名・日本にある日本語学校)(中級コース)
<シラバスB>

回	言語機能	到達目標	文型	教室活動
1	さそう	相手の都合を聞いてさそうことができる	～たよね ～ませんか ～どうかなと思いまして	<話す>同僚を休みの日のレジャーにさそう <書く>メール
2	許可をもらう	ていねいに理由を説明して許可を求めることができる	～させていただきたいんですが ～てもいいでしょうか	<話す>上司に休暇の変更を申し出る <書く>許可願
3	提案する	理由を説明して、提案することができる	～することを提案します ～してはどうかと思っています	<話す>忘年会の準備 <書く>提案書

シラバスAもシラバスBも、各回の到達目標の欄には、「〜できる」という言語行動目標が書かれています。こうした目標を1つ1つ達成することによって、最終的に2-2で考えた大きなコース目標の達成につながります。しかし、シラバスAとシラバスBでは、学習項目の並べ方が違います。

　シラバスAは、**話題・場面**が中心になっています。そしてそれぞれの話題・場面ごとに取り上げる教室活動（聴解・会話・読解・作文）が並んでいます。最後にそれぞれの活動に関係する言語知識や能力が並んでいます。

　シラバスBは、**ことばの機能**が中心になっています。そして、その機能を達成するための文型があり、さらにその機能と文型を含んだ教室活動（聴解・会話・読解・作文）が並んでいます。

　シラバスAのようなタイプは、話題や場面が中心になっていますので、「会話」だけでなく、まとまった内容を理解したり表現したりする活動も取り入れやすく、4技能をバランスよく伸ばしていきたいときに効果的です。

　シラバスBのようなタイプは、日本語を使ってできるようになりたいことばの機能が具体的にはっきりしている場合に、また「会話」を中心にした活動を取り入れて教える場合に効果的でしょう。また、機能を中心に文型の使い方を整理して教えたいような場合にもよいかもしれません。

【質問9】

実際の授業では、教科書で教える場合も多いと思います。巻末の参考資料1の①〜⑤は、中級、上級レベルの教科書の目次、あるいはその指導書の一部です。【質問8】で見た2つのタイプのシラバスのどれに近いか考えてください。
　また、手元に中級、上級用の教科書がある人はその教科書がどのようなシラバスで作られているか考えてください。

　巻末の参考資料1（p.183）の①〜⑤の教科書は、話題や場面が中心になったシラバス、あるいはことばの機能を中心にしたシラバスのどちらかに分類することができました。「初級」の教科書に多く見られる、文型や文法項目が中心になって構成された「文型シラバス」や「構造シラバス」ではないことがわかります。また、「読む」「聞く」といった理解する内容も、一般的、抽象的な話題のものが多いのがわかります。これが中級以降の教科書の特徴です。

　本書では、「話題・場面」とそれに関連する「課題」を中心としたAのタイプのシラバスで教えることを想定して話を進めます。本書では特定の教科書1冊を使っ

て教えることをイメージしてはいませんが、これから考えることは、中級、上級レベルの教科書を選ぶときにも留意点として参考にすることができます。

具体的に、シラバスAの表（pp.22-23）を見ながら考えていきます。シラバスAの表のいちばん上の欄に、項目として、「話題・場面」「到達目標」「教室活動」「言語知識や能力」が並んでいます。この関係を図に示すと図3のようになります。

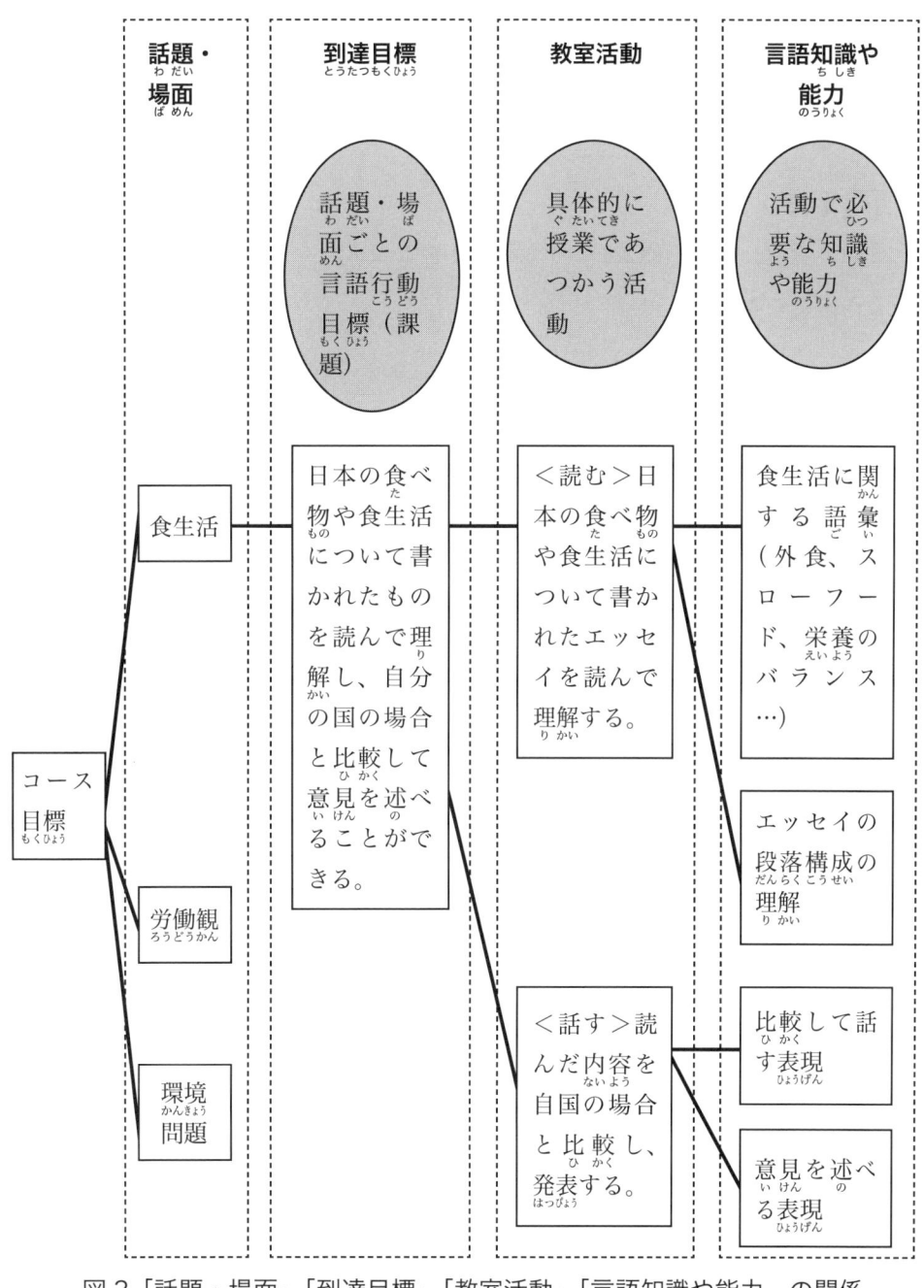

図3 「話題・場面」「到達目標」「教室活動」「言語知識や能力」の関係
- SAKURA大学（仮名）の例 -

(1)「話題・場面」

シラバスA（pp.22-23）／図3（p.25）は、海外の大学（ＳＡＫＵＲＡ大学）で日本語を学習する大学生（3年生）を対象とした例です。「食生活」「労働観」「環境問題」といった「話題・場面」が取り上げられています。ニーズやコース目標を考えて、このほかにも、「教育」「趣味・余暇」といった「話題・場面」を取り上げることができるでしょう。

 考えましょう

【質問10】
次のようなコース（1）（2）を考えるとき、どのような「話題・場面」を取り上げるとよいと思いますか。

(1) 対象者：日本に住む主婦
（子どもが小学校に通っている。近所づきあいでも日本語を使う）
コース目標（中級）：近所に住む人たちや子どもの通う小学校の先生、子どもの友だちの親などと、必要な情報交換をしたり、問題になっていることについて意見交換をしたりすることができる。

(2) 対象者：日本国外の日系企業で働く会社員
（日本語の学習は中級レベルを終わっているが、仕事ではあまり使う必要がない。さまざまなメディアから、必要な情報を日本語で取ったり、日本人スタッフと社会や経済などの問題について会話をして意見交換をしたい）
コース目標（上級）：日本人スタッフと、社会や経済の話題について情報交換をしたり、意見交換をしたりすることができる。

コースデザインをするとき、どのような「話題・場面」を取り上げるべきか迷うこともあると思います。巻末の参考資料2（p.188）は、「話題・場面」が目次に出ている「中級」「上級」レベルの教科書の目次リストです。どのような「話題・場面」が取り上げられているか、参考にしてください。

(2)「到達目標」と「教室活動」

シラバスA（pp.22-23）の到達目標と教室活動の欄を見てください。

それぞれの話題・場面ごとの到達目標は、「〜できる」という「課題」（言語行動目標）で書かれていますが、具体的な教室活動も同時にイメージしながら考えてあります。教室活動の部分を整理すると次のようになります。

トピック	教室活動	
	＜読む＞＜聞く＞活動	＜話す＞＜書く＞活動
食生活	エッセイを読んで理解する	自分の意見を発表する
労働観	報道番組を見て理解する	インタビューする(ビジターセッション) 報告文を書く
環境問題	エッセイや記事（新聞記事）を読んで理解する	メールでアンケート調査をする アンケート調査の内容をまとめ、発表する

全体で15トピックのうちの3トピックの例ですが、「読む」「聞く」「話す」「書く」技能が組み合わせてあることがわかります。また、「インタビュー」や「メールでのアンケート調査」などは、実際には複数の技能が組み合わさった活動になります。1回の授業には時間制限がありますから、その時間内にできる教室活動には限りがあります。さまざまな技能、さまざまな形の活動を、コース全体で、バランスよく取り入れる必要があります(*3)。

 考えましょう

【質問11】

シラバスA（pp.22-23）の「食生活」の回の到達目標は、「日本の食べ物や食生活について書かれたものを理解し、自分の国の場合と比較して意見を述べることができる」です。教室活動としては、「エッセイを読んで理解する」「自分の意見を発表する」といった活動が選ばれています。ほかにどのような活動を取り入れる可能性があるでしょうか。考えてください。

本物らしさ（真正性：authenticity）の問題

【質問11】では、具体的に教室で取り上げる言語活動を考えました。課題遂行を目標とした教え方は、現実の場面での実際のコミュニケーションができるようになることを目指します。したがって、この教え方では、取り上げる言語活動の素材や活動そのものが、どのぐらい現実や本物に近いかという「本物らしさ（真正性：authenticity）」が重要になります。ここでは「本物らしさ」について考えます。

① 素材の本物らしさ

実際の生活の中で、読んだり、聞いたりするものはさまざまです。「中級」「上級」の授業では、そうした実際に使われている素材を利用することが多くなります。

 考えましょう

【質問12】
実際の生活の中でどのようなものを読んだり聞いたりしていますか。書き出してみましょう。

```
＜読むもの＞
例）料理の本



＜聞くもの＞
例）駅のアナウンス
```

「素材の本物らしさ」とは、「読む」活動、「聞く」活動の素材がどのぐらい本物に近いものかという問題です。【質問12】で書き出した現実に読んだり聞いたりするものは「本物らしさ」の点では、かなり程度の高い素材であると言えます。

②素材に対する学習者の解釈の本物らしさ

 考えましょう

【質問 13】

【質問 12】で書き出した素材はどのような目的で読んだり聞いたりしていますか。考えてください。

　実際に読んだり聞いたりするものを「素材」としても、現実に近い読み方や聞き方をしなければ「本物らしい」使い方をしたとは言えません。たとえば、【質問 19】の素材 A（pp.36-37）を見てください。この料理レシピを、動詞の「テ形」がどのように使われているかを考え、「テ形」を含む文型を学ぶために利用したのでは、実際に近い使い方をしたとは言えません。料理の作り方を理解するという目標のために読むのが本来の使い方であり、そのような読み方をしたときに「本物らしい」解釈をしたと言えます。教室活動を考えるうえで、こうした素材の「本物らしさ」、素材の解釈の「本物らしさ」について考える必要があります。

考えましょう

【質問 14】

次のような素材で、「料理レシピを読んで料理の作り方を理解する」という課題を遂行することを考えてみましょう。前述の「①素材の本物らしさ」「②素材に対する学習者の解釈の本物らしさ」の点から考えてみましょう。

肉じゃがの作り方

材料： 玉ねぎ　　中1こ　　　　　じゃがいも　中2こ
　　　 肉　　　　100グラム　　 にんじん　　中1本
　　　 水　　　　1カップ　　　 さとう、しょうゆ、酒

作り方： ① 玉ねぎ、肉、じゃがいも、にんじんを一口大に切る。
　　　　② 玉ねぎを油でいためる。
　　　　③ ②の玉ねぎに肉を加えて、さらにいためる。
　　　　④ ③に、じゃがいもとにんじんを加えて、さらにいためる。
　　　　⑤ ④に、水を加えて、ふたをする。弱火で20分煮る。
　　　　⑥ ⑤に、さとう、しょうゆ、酒を加える。
　　　　⑦ さらに10分煮る。

この素材は、素材A (pp.36-37) とは違い、簡単に書き直されたものです。したがって「①素材の本物らしさ」の程度は低いと言えます。しかし、学習者が、肉じゃがの作り方を知らなかったのに、この内容を読んでその作り方を理解することができたならば、「②素材に対する学習者の解釈の本物らしさ」の点では高いものと考えます。中級の前半の段階では、まだ素材Aのような本物の料理レシピを読むだけの語彙力はないかもしれません。その場合、素材Aを使ってできる活動は制限されますので、ある程度、この素材のように、簡単に書き直されたものや、本物の料理レシピには実際にはないような語彙説明をつけたものなどを使うこともやむをえません。どのような本物らしさを確保したいかで、素材と活動の種類が決まってくるものと考えます。そして、そうした練習をくり返しながら、中級後半では、本物の料理レシピを使って、料理の手順を理解するという本来の活動に挑戦できるようになるものと考えます (*4)。

考えましょう

【質問15】
みなさんが行なっている中級・上級の授業では、「読む」「聞く」素材としてどのようなものを使っていますか。「本物らしさ」の点ではどうですか。

　③活動の本物らしさ
　活動の本物らしさを考えるとき、コミュニケーションの要素といわれる「目的」「情報差（インフォメーションギャップ）」あるいは「意見差（オピニオンギャップ）」「選択権」「反応」について考える必要があります。
　たとえば、現実の世界では、ある人が時間を知りたいときに、自分で時計を持っていないか、あるいは持っている時計が壊れている場合、時計を持っている人に対して「今何時ですか」とたずねます。「時間を知りたい」という「目的」があり、さらに、自分は時間がわからないが、相手は時間を知っているという「情報差」があるからです。「意見差（オピニオンギャップ）」についても同じです。意見の違いがあるときのほうが会話の必要性は生まれやすくなります。
　「選択権」とは、発話するときに、どのような表現を使うか「選択」することができるということです。たとえば会社の上司に午後から早退したいと願い出るような場合、必ず「～させていただきたいんですが」という表現を使わなければならないという活動では、「選択権」が制限されていて、「③活動の本物らしさ」の点では、

低いと言えます。また、会話には必ず「反応」があります。申し出たことに対して答えてくれたり、あるいは聞き返されたり、いろいろな「反応」が予想されます。また「情報差」「選択権」などが備わった活動であっても、その活動そのものがあまり現実に起こり得ないものであれば「③活動の本物らしさ」は低いということになります。

考えましょう

【質問16】

「部長に夏季休暇の日程の変更を頼む」という課題について、【質問24】のモデル会話（p.43）を覚えて演じる場合と、【質問50】（p.91）のようなロールカードを使ってロールプレイ(*5)をする場合では、「本物らしさ」の点で何が違うでしょうか。

(3) 言語知識や能力

シラバスA（pp.22-23）をもう一度見てください。表の一番右に「言語知識や能力」という欄があります。これらの知識や能力は、それぞれの教室活動を遂行するために必要な能力です。ここには、表4「「初級」「中級」「上級」レベルと関係する要素」（p.15）で整理したような「ことばの知識」「談話能力」「社会言語能力」「ストラテジー能力」などが含まれます。これらの能力は互いに関係しています。また、一般的な知識や異文化を理解する能力もそれぞれと関係する重要な能力ですが、ここでは、「ことばの知識」「談話能力」「社会言語能力」「ストラテジー能力」という区分で考えることにします。

ことばの知識

文法・語彙・音声・文字などのことばの構造にかかわる知識を、ここでは「ことばの知識」と呼びます。ここでは、語彙の知識と文法の知識について考えます。

＜語彙の知識＞

表4（p.15）で整理したように、「中級」では、やや抽象的、一般的な話題、公的な場面でのやや複雑な課題、「上級」では、専門的、抽象的、複雑な状況での複雑で困難な課題を達成することが目標となりますから、そうした話題や場面で使われる語彙や表現の知識が必要になります。「中級」「上級」になると、微妙な意味の違

いも理解したり表現したりできる必要があります。
　たとえば、「変わる」ということばだけでなく、「変化する」「変形する」「変更する」「移ろう」など、類似したほかのことばも身に付けて、微妙な意味の違いを理解したり表現したりします。

＜文法の知識＞
　「中級」「上級」では、複雑な内容を、場面に応じて、正確に理解したり、伝えたりするための文法知識が必要になります。新しい知識というよりも、まず初級で既に学習した文法や文型が、内容、話題や場面に合わせて適切に使い分けられる、あるいは、使い分けられているものの微妙な違いが理解できることが必要になります。
　たとえば、自動詞と他動詞の使い分け、アスペクトの形式（〜ている・〜てしまう、など）などです。次の【質問17】を考えてみてください。

考えましょう

【質問17】
次はある人が借りた車を壊してしまったときの謝罪のことばです。下線に次の3つの文が入ったときの、相手に与える印象を考えてください。

「ごめんなさい。お借りした車なんですが、実は…＿＿＿＿＿＿＿＿＿＿＿＿＿＿。」

　A: 木にぶつかって…。
　B: 木にぶつけて…。
　C: 木にぶつけてしまって…。

　この3つの文が相手に与える印象はかなり違います。Aのように自動詞「ぶつかる」を使うと、何か車の性能が悪いような印象を与え、運転者の責任を回避しているような印象を与えてしまう可能性があります。また、Bの「ぶつける」という他動詞だけを使うよりも、Cのように「〜てしまう」の表現を使ったほうが、取り返しのつかないことをしたという意識を持っていることを表現することができます。
　「中級」「上級」では、複雑な状況の中で、相手に配慮した言語行動をすることが目標になりますから、上で考えたように、単純に「相手に謝る」だけでなく、正確に事実を伝え、気持ちを伝える必要があります。こうした微妙なニュアンスを伝え

るために、的確に文の形式や表現を選んで使うことが必要です(*6)。

　これらの「中級」「上級」の課題を達成するための「ことばの知識」は、膨大な量になります。単に1つ1つを記憶するのではなく、課題遂行の中で学習することが必要です。

　また、「中級」「上級」では、学習者の状況に応じて、特定の「言語知識や能力」を、時制、文末表現など、体系的に整理して教える機会を設ける場合があります。巻末の〔参考にした教材等〕にテーマ別に並べてありますので、それを参照してください。

談話能力

　「中級」「上級」では、文章の構成が、文の羅列ではなく、段落になりますから、段落を構成したり、その関係性を理解したりする能力が必要になります。話や文章全体の構成を考えて、まとまりのある談話を理解したり組み立てたりできるようになることが必要です。たとえば、何かを「依頼」するときにも、話をどのように始め、終えるのか、最初に前置きのことばが必要なのかどうか、必要だとすればどのようなことばが必要なのか、その後どのように話を展開する必要があるかなど、談話全体の構成にかかわる能力が必要です。ほかにも、文脈指示の「こそあ」の使い分け、終助詞の使い方、あいづちの使用などがあります。

　このような能力は、上で述べた文法能力や、次に述べる社会言語能力とも関係します。具体的な例は、「2-6.「話す」活動と言語知識や能力」で考えます。

社会言語能力

　「ことばの知識」に関して、「中級」「上級」では、文型や表現が、内容、話題や場面に合わせて適切に使い分けられる、あるいは、使い分けられているものの微妙な違いが理解できることが必要になると述べました。「社会言語能力」は、さらに、やり取りをする相手との関係性や、その場の状況を理解し、その社会のルールに合わせてことばを使い分ける能力、あるいは使い分けを理解する能力を指します。次の【質問18】を考えてみてください。

考えましょう

【質問18】
次の文章は、ある学生が指導教官に書いたメールです。学生は「教官に失礼のないように返信メールを書く」ことができたと言えるでしょうか。考えてください。

(この学生は指導教官と共同研究をしています。教官は研究調査のためのアンケート調査票を作成し、学生に内容の確認と翻訳を依頼し、学生の国での配布の可能性をたずねました。それに対して、学生は教官に次のようなメールを送りました。)

○○先生

お返事が遅れて申し訳ありません。

(中略)

さて、送っていただいたアンケート用紙を拝見いたしました。調査票に関するコメントは、添付ファイルをご覧ください。学生のみを対象にした調査として、うまくまとまったのではないかと思います。今回、教師は調査対象からはずしてもいいでしょう。(中略) 来週の水曜日に大学でセミナーが開催されますので、そこでアンケートを配りたいと思います。

最近、やる気がなんとなく減ってしまいましたが、がんばりましょう。

それでは。

△△△△

語彙や文法そのものがまちがっていなくても、教官との関係性の認識、そのうえでの語彙や表現の選択を誤ると、不適切な文になってしまいます。このように、「中級」「上級」レベルでは、「ことばの知識」だけでなく、それを相手との関係性の中で適切に理解したうえで、うまく使えなければ、十分課題を達成できたとは言えません。

ストラテジー能力

たとえば、わからないことばがあっても言い換えて説明できたり、聞き返して確認したりすることができる能力をコミュニケーションストラテジー能力と言います。読んだり聞いたりする場合でも、よく知らない語彙が出てきたとき、推測して内容が理解できる場合があります。このような能力は、読解ストラテジー、聴解ストラテジーの1つであると言われます。こうしたストラテジー能力は課題が複雑になり、必要とされることばの知識も膨大になってくる「中級」「上級」レベルではとても重要な能力となります。

具体的な例については、「2-4.「読む」活動と言語知識や能力」「2-5.「聞く」活動と言語知識や能力」で考えます。

次に、「読む」「聞く」「話す」「書く」それぞれの技能で、どのような素材や言語活動を取り入れ、そこでは、どのような言語知識や能力（「ことばの知識」「談話能力」「社会言語能力」「ストラテジー能力」）が必要なのか、具体的に見ていきます。

2-4.「読む」活動と言語知識や能力

【質問12】【質問13】で考えたように、実際の生活の中で、私たちはいろいろな素材をいろいろな目的で読んでいます。ここでは、「料理レシピを読んで必要な情報を取り、手順を理解する」「食生活について書かれた簡単なエッセイを読んで意見や主張を理解する」の2つのタイプの活動（中級レベル）を取り上げます。

考えましょう

【質問19】
素材A（pp.36-37）を読んで必要な情報を取り、手順を理解するためには、どのような言語知識や能力が必要でしょうか。

　素材Aに使われている語彙には、**料理の材料やその部分の名前、料理独特の動詞や表現**があります。「じゃがいも」「にんじん」などの語彙は知っていても、「さやいんげん」「しょうが」などの語彙は、初級で学習していない場合もあるかもしれません。また、「へた」「筋」のような材料の部分の名前や「ざる」「ラップ」のような道具の名前、「水にさらす」「皮をこそげる」のような料理特有の動詞や表現は、このような素材を理解するために新たに必要となる知識と言えるでしょう。ほかにも「乱切り」「くし形に切る」など、**料理に関係するやや専門的な語彙の知識が必要**になります。もちろん、普段から料理や食べ物に興味のある人や料理の経験がある人は、このようなことばの知識を「初級」の段階から持っているかもしれませんし、また、写真を見ることで、ある程度類推して、内容を理解することができるかもしれません。**「料理」に関する背景知識や専門性**の違いが大きく影響します。ことばの知識以外の知識が理解に大きく影響するということも、「中級」「上級」の特徴です。
　素材Aを理解するための、文法の知識や、談話能力、社会言語能力、ストラテジー能力はどうでしょうか。素材Aで使われている文はあまり長くなく、複雑ではありません。文の構造については、「へたと、筋があればとります」「色が鮮やかになったら、ざるにとって広げてさまします。」のように、**条件表現や手順を述べるときの動詞の形や意味**が理解できれば、十分理解できると言えます。また、段落につい

35

ても、順番がわかるようにレイアウトが工夫されていますから、それほど複雑な段落を理解する知識は必要にはなりません。

　ストラテジー能力についてはどうでしょうか。素材Aの場合は、**写真の情報を参考に、想像しながらキーワードを理解し、手順の流れをつかむ**ストラテジー能力が必要になります。

素材A

煮もの

肉じゃが

ボリュームたっぷりのおそうざい。ほっこり、こっくり仕上がると、思わず食欲をそそられます。
［一人分 359kcal］

■素材のポイント
・肉は、牛、豚どちらでもお好みです。こま切れ肉や切り落としでも充分です。少し脂身があったほうがおいしくできます。
・じゃがいもは季節や品種によって、ほっくり感など仕上がり具合が違います。
・しらたき100gを加えてもよいでしょう。熱湯でさっとゆでてから、加えます。

2人分

牛薄切り肉(肩ロース、ばらなど)	150g
じゃがいも	中2個(300g)
にんじん	中½本(70g)
たまねぎ	中½個(100g)
さやいんげん	30g
しょうが	小1かけ
水	カップ1
調味 A ｛砂糖	大さじ1½
酒	大さじ3
しょうゆ	大さじ2

▲男爵などはホコホコした感じ、メイクイーンはねっとりした感じです。お好みで。
男爵
メイクイーン

『ベターホームのお料理二年生』ベターホーム出版局／写真・大井一範

■ 肉じゃが

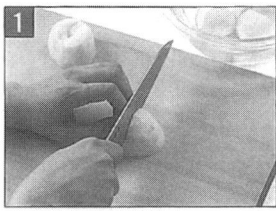

下ごしらえ

1. じゃがいもは、皮をむいて4つに切ります。水に5分ほどさらして、ざるにとります。にんじんは、皮をむいて6つくらいの乱切り（→P.77③）に、たまねぎは、4つのくし形に切ります。

　→じゃがいもは、切り口が空気にふれると変色するので、切ったら水につけます。

2. さやいんげんは、へたと、筋があればとります。熱湯でゆで、色が鮮やかになったら、ざるにとって広げてさまします（電子レンジならラップに包んで約1分加熱します）。2～3cm長さに切ります。しょうがは、皮をこそげて薄切りにします。肉は3cm幅に切ります。

調味液に肉から入れる

3. 鍋に、Aとしょうがを入れ、肉をほぐして加えます。強火にかけ、さらにほぐしながら加熱します。

　ポイント1 →煮汁が冷たいうちに、肉をほぐして入れておくと、肉がかたまりになりません。

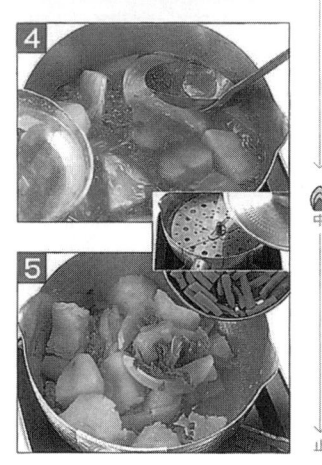

4. 肉の色が変わってきたら、じゃがいも、にんじん、たまねぎ、分量の水を加えます。煮立ったら、アクをとります。落としぶたをして、ふたをずらしてのせ、中火で約15分煮ます。

　→沸とうして出てくる材料のアクは、煮汁をよごし、おいしくないので、すくいとりましょう。あまり神経質にならず、だいたいとればOKです。

5. 煮汁が少なくなったら、全体を大きくひと混ぜします。具を片寄せ、煮汁にいんげんを入れて、温まったら火を止めます。

　ポイント2 →落としぶたをすると煮汁が全体にいきわたり、途中で返す必要がありません。煮つまって汁が少なくなると、おいしそうな色になってきます。

『ベターホームのお料理二年生』ベターホーム出版局／写真・大井一範

『日本語教師必携 すぐに使える「レアリア・生教材」コレクション CD-ROM ブック』
（スリーエーネットワーク）より

考えましょう

【質問 20】
次の素材 B「食生活を見直そう」という文章を読んでください。そこに書かれている意見や主張を理解するためにはどのような言語知識や能力が必要だと思いますか。素材 A の場合と比較しながら考えてください。

素材 B

食生活を見直そう

　どの国にもその国独自の食文化がある。料理や食事のマナーだけでなく、食事に対する考え方、食を通じたコミュニケーションなど、その文化を作り上げている要素は幅広い。

　同じアジアでも日本とまったく同じ食文化の国はないのだから、それがヨーロッパの国ならば、ずいぶん異なる。そんなヨーロッパのイタリア地方都市で、1986年にファーストフードの出店をきっかけに、食文化を見直そうという運動が始まった。そして89年には「スローフード協会」という団体が設立された。ヨーロッパの人の考える食文化だから日本とは関係ないだろうと思っていたら、10年あまりで世界38か国、132都市に協会を持つまでに広がり、日本にも99年に協会が設立された。異なる食文化を持つ国々に、一つの運動がなぜこれほど広がっていったのか、そこには世界規模の何か共通した食文化についての危機感があったのだろう。

　流通システムが発達し、コンビニをはじめ、ファーストフード店やファミリーレストランなどのチェーン店が増え、同じ食べ物がどこでも手軽に食べられるようになった。それは食事を作るのが面倒な人や仕事で忙しい人にとっても、あるいは家族で外食を楽しむ人にとっても有り難いことだ。しかし、食べ物が規格どおりに大量生産される一方で、各地域の伝統的な食は隅に追いやられ、食の多様性が失われつつある。

　スローフード運動というと、「食事くらいゆっくり食べようじゃないか」というスローガンだけで語られることがあるが、協会が目指していることはもっと食文化の基本にかかわることである。

> [スローフード運動の三つの方針]
> 1. 消えつつある伝統的料理および質の高い食品を守る。
> 2. 質の高い素材を提供してくれる小生産者を守る。
> 3. 子どもたちを含めた消費者全体に味の教育を進める。

　この方針が示すように、ゆっくり食事をすることが目的ではなく、ゆっくり食事を取ることで、普段何気なく口にしている食べ物に目を向け、その食べ物を通して、自分たちの住む地域、国の食文化を見直していこうということだ。そこには、やはり消えつつある食卓を囲んだ一家団らんの風景も見えてきそうだ。

　この運動はこの先も着実に広がっていくだろうか。それとも、一つのブームで終わってしまうのだろうか。

『ニューアプローチ中上級日本語［完成編］』（日本語研究社）pp.40-41 より

　この文章を読んだ後に、「「スローフード運動」について自分の意見を述べる」という活動（課題）が組み合わされている場合、【質問20】で考えた語彙や表現の中には、理解（読む行為）を助けるだけでなく、産出（話す行為）のために必要なものも含まれることになります。語彙や表現の中には、そのような違いがあることも意識しておく必要があるでしょう。

コラム〜「語彙」のレベル判定〜

　選んだ素材の難しさにはさまざまな要素が関係しているため、単純に語彙の難しさのレベルを判定することはできませんが、インターネット上のツールを利用して、語彙のレベルを判定することができます。たとえば、「日本語読解学習支援システム Reading Tutor」（https://chuta.cegloc.tsukuba.ac.jp/）には、「辞書ツール」「レベル判定ツール」「文型辞典ツール」があります。読解素材のテキストをこのツールで調べることによって、どの程度のレベルの語彙が使われているかわかります。利用してみるとよいでしょう。また、現在、このサイトでは、単語の親密度や頻度もわかるようなツールを開発中です。

＜参考＞川村よし子（2009）『チュウ太の虎の巻　日本語教育のためのインターネット活用術』くろしお出版

2-5.「聞く」活動と言語知識や能力

次に、「聞く」活動について考えます。【質問12】【質問13】で考えたように、実際の生活の中で、私たちはいろいろな素材をいろいろな目的で聞いています。ここでは、「駅構内のアナウンスを聞いて必要な情報を取る」(中級レベル)「発表を聞いて内容を理解する」(上級レベル)という2つのタイプの活動を取り上げます。

考えましょう

【質問21】

次の素材Cは電車の遅延を知らせる駅構内のアナウンスです。このアナウンスを聞いて理解するためには、どのような言語知識や能力が必要になるでしょうか。

素材C

> ♪♪お客様にお知らせいたします。15時30分到着予定の北東新線、東京行きの電車は、車両トラブルのため現在到着が遅れております。現在約20分の遅れのため、到着は15時50分ごろを予定しております。なお、5番線到着予定でしたが、4番線到着に変更となります。お忙しいところ申し訳ございませんが、4番線にてしばらくお待ちください。♪♪

駅構内のアナウンス独特の表現やパターンがある場合、そうした語彙や表現などの知識が必要になります。「到着」「予定」「～行き」「車両トラブル」「～番線」「変更」などの語彙、さらに「～ております」「しばらくお待ちください」のような敬語表現が理解できなくてはなりません。そしてさらに、流れる放送を聞いて、必要な情報を取る(スキャニングの)聴解ストラテジーの能力が必要です。この放送の場合15時30分到着予定の電車が20分遅れること、到着するのが4番線になること、この2つの情報を正確につかむことが必要です。そのためには、多少わからない語彙があっても推測することのできるストラテジー能力も必要でしょう。

また、実際の生活の中では、このような放送はくり返し流れることがあります。つまり、一度聞き逃しても、もう一度聞く機会がありますので、そのときに、何に

気をつけて聞けばよいのか、そうしたことを考えられる能力も必要です。近くの人にたずねて、簡単なことばで言い直してもらったり、よくわからなかったことばについて質問したりすることもできるかもしれません。そうしたいろいろな能力を使って、聞く必要があります。

考えましょう

【質問22】
次の素材Dは、「小学校からの英語教育」についての発表の一部です。こうした発表を聞いて理解するために必要な言語知識や能力について考えてください。また、前ページの素材Cの場合とどのような点が異なりますか。

素材D

> それでは、小学生からの英語教育について発表させていただきます。
> 日本では、2002年度から、「総合的な学習の時間」の授業内容として、3年生以上で英語を選択することができるようになりました。
> 文部科学省によると、小学校での英語教育の目的は、単語や文法などの知識を学ぶのではなく、「聞く」「話す」を中心に、外国の生活・文化などに親しむこととなっています。
> 英語教育を実施する小学校は年々増加傾向にあり、2005年度では、公立小学校の93.6%に達しています。
> このように、多くの小学校で英語教育が実施されていますが、日常的に英語を使う環境ではないことや、日本語もまだ十分ではない段階であることから、小学生に対する英語教育に疑問の声も挙がっています。
> それでは、小学校からの英語教育には、どのようなメリット、デメリットがあるのでしょうか。
>
> 『アカデミック・スキルを身につける 聴解・発表ワークブック』（スリーエーネットワーク）
> 別冊表現スクリプトp.2より

素材Dは、話題が社会的な内容ですから背景知識が必要です。また、素材Cとは違って、語彙がより抽象的な意味を含んだものになります。「発表する」というスタイルですので、話しことばではなく、ややあらたまった、漢字熟語の語彙が多

く使われている点も特徴的です。文型も、「～ようになりました」「～に達しています」のような物事が変化してきた経緯を表す表現が使われ、そうした文末表現にも注意して聞くことが必要になります。また複数の段落を理解し、全体の内容を把握する（スキミングの）能力が必要で、段落と段落のつながりを理解したり、話の流れを理解したりすることが必要です。また、話を止めることはできませんから、わからないことばがあったときに推測するストラテジー能力も必要です。メモをとりながら聞くことができるのであれば、聞きながらキーワードを書きとめる能力も必要になります。

2-6.「話す」活動と言語知識や能力

「話す」活動にもいろいろなタイプのものがあります。ここでは、1人で話す「自己紹介のスピーチ」と、相手とやり取りをする「上司との会話」を取り上げます。

考えましょう

【質問23】
次の2つの「自己紹介のスピーチ」は、どのような点が異なるでしょうか。

例1）＜大学のカラオケ同好会の新人歓迎会で＞
　みなさん、こんにちは。マリー・ダンヒルです。イギリスから来ました。日本のお茶と和菓子が大好きです。カラオケも大好きです。特にミスターチルドレンの歌が好きです。よろしくお願いします。

例2）＜新しく就職した会社の配属先で＞
　このたび営業課に配属になったトム・クルーズと申します。学生時代はラグビー部に所属しておりましたので、体力と粘り強さには自信があります。営業マンとしてたくさん走って汗をかきたいと思っています。また、ラグビー部では部長をしておりましたので、微力ながら、まわりのことに気を配りながら、みなさんのつなぎ役になれたらと思っています。みなさま、ご指導よろしくお願いいたします。

　例2）のように、聞いている人に配慮して、「謙譲語」などの敬語を使う能力が、「中級」では必要になることがわかりました。また、「中級」「上級」レベルへと上がる

につれて、単に情報を提供するだけでなく、印象的で、相手をひきつけるスピーチができるようになりたいと考えます。その場合には、効果的な語彙や表現を選ぶ能力が必要になります。では、1人で話し続けるスピーチと違って、相手とのやり取りのある会話ではどうでしょうか。次の【質問24】を考えてください。

【質問24】

次の会話は、「部長に夏季休暇の日程の変更を頼む」という課題の会話例です。次のような会話ができるようになるためにはどのような能力が必要か考えてみてください。

カイト：部長、今よろしいでしょうか。

山本　：ああ、カイト君、どうぞ。何か用事？

カイト：あのう、仕事のことじゃないんですが、ちょっとお願いしたいことがありまして。

山本　：うちのことかなんか。

カイト：いえ、あのう、夏休みのことなんですが。

山本　：たしか8月の初めだったね。

カイト：はい。それが、実は両親が7月に来たいと言っています。で、できたら7月の半ばごろに変えていただきたいと思いまして。

山本　：それは楽しみだね。ほかの人の都合もあるから今何とも言えないけれども。できるだけそうしましょう。

カイト：勝手を言って申し訳ありません。よろしくお願いいたします。

『ロールプレイで学ぶ会話（1）こんなとき何と言いますか』（凡人社）p.102 より

　上の会話例では、上司に頼むときの談話の流れがうまく作られています。具体的には、まず、「部長、今よろしいでしょうか」と言って相手の許可を得てから「ちょっとお願いしたいことがありまして」と会話を切り出し、次に、「あのう、夏休みのことなんですが」と用件を持ち出し、「実は、両親が7月に来たいと言っています」と状況を説明したうえで、「できたら7月の半ばごろに変えていただきたいと思いまして」と依頼し、「勝手を言って申し訳ありません。よろしくお願いいたします」と、感謝してさらにお願いして会話を終えるという流れを作っています。こういう流れを作ることのできる談話能力が必要です。

　また、いきなり用件を話さずに、前置きのことばや事情から話すという方法はス

トラテジー能力、社会言語能力とも関係します。
　相手が目上であること、会社という公的な場面であることに考慮して、「部長、いいですか」ではなく「よろしいでしょうか」のようなていねいな話し方や、「7月の半ばころに変えていただきたいと思いまして」という依頼表現など、語彙や文法能力が必要です。
　次の【質問25】の例を考えてください。

【質問25】
次の会話はＡさんが山下さんの家でのホームステイを断るというロールプレイでの会話です。どのような点に問題があると思いますか。

Ａ　：山下さん。

山下：どうかしたんですか。困った顔をして…。

Ａ　：山下さんには本当に親切にしていただいて、ここのホームステイはとても気に入っていたんですが…。

山下：私はリンさんに家にいてもらえるだけでうれしいんですよ。

Ａ　：それが、その…実は、山下さんの家にホームステイができなくなったんです。

山下：えっ？

Ａ　：あのう、新しい研修が始まったんですが、その研修センターに泊まらなくてはいけないという決まりがあって…。

山下：えっ、家にいられない？　お部屋だってリンさんのために直したばかりなのに。

Ａ　：でも、研修センターに泊めてもらえることになったんです。だから、本当にすみません。でも、土曜日とか日曜日は自由ですから、山下さんの家に泊まってあげますよ。

　Ａさんは上手に話を始めていて、談話能力の面では能力があると言えますが、「～てもらう」「～てあげる」などの恩恵の授受に関わる表現をだれに対してどう使うのかという社会言語能力が不足しているために、悪い印象を与えてしまっています。
　「話す」「書く」活動は、相手に働きかける活動です。特に「中級」「上級」になると、内容、話題だけでなく、場面や相手との関係性など、さまざまな状況に配慮する必要があります。

2-7.「書く」活動と言語知識や能力

どのような「書く」活動でも、必ず読み手を意識して書くことが必要です。ですから、前述のとおり、「書く」活動でも、相手との関係性などさまざまな場面や状況に配慮する必要があります。【質問18】の例（pp.33-34）は、目上の人に対して直接評価する表現を使ったための失敗例でした。ここではさらに、文体の違いの問題があることを述べておきます。

【質問26】

次の文章は「私の国の環境問題」というテーマで、ある留学生が書いたものです。インターネット上の学校のブログの記事の一部として書きました。問題となる点があるとすれば、どのような点だと思いますか。

＜私の国の環境問題＞
私の国では、木の使用量が増えて、森林を開拓する面積が広がりました。それで、森林が少なくなってきたんです。最近、特に問題となっているのは、熱帯地域の森林なんです。焼畑耕作のしすぎや放牧のしすぎのために、急激に減少したんです。

「〜んです」という文型の知識があるだけでは、「中級」「上級」の課題を十分達成することはできません。その表現を書きことばでも使うことができるのか、またどのような場面で使うのか、その表現を使うことで伝える内容の印象がどう変わるのか、形の知識だけでなく、運用面での知識も必要になります。

さらに、さまざまな形式をもった文章を書く練習も必要です。手紙、Eメール、ファクス、報告書、申請書、発表用資料など、それぞれの用途によって形式がある程度決まっているものについては、そうした形式を知る必要があります。

また、研究レポート、論文など、学術的な文章を書く場合には、アカデミックな作文のための構成、論理展開や語彙、表現の使い方を学び、練習する必要があります。

整理しましょう

最後に、「中級」「上級」で教えることについて整理してみましょう。

1. 「中級」「上級」のシラバス（教える内容）は、「課題」遂行の「コース目標」に基づいて考える。「中級」では「やや複雑な課題」、「上級」では「複雑で困難な課題」の遂行がコース目標となる。

2. 「中級」「上級」のシラバス（教える内容）には、「話題・場面」、「到達目標」（各「話題・場面」で遂行することを目標とする課題）、具体的な「教室活動」、その教室活動（課題）を遂行するために必要な「言語知識や能力」（「ことばの知識」、「談話能力」、「社会言語能力」、「ストラテジー能力」）が含まれる。

3. 「言語知識や能力」は、教室活動（課題）を遂行するために必要な知識や能力であり、教室活動（課題）と切り離して考えるものではない。

このほかにも、【質問19】（pp.36-37）「料理レシピ」で考えたように、「中級」「上級」の場合、専門的な内容になると、その背景や専門にかかわる知識を持っているかどうかで、課題の遂行能力は大きく変わります。また、課題を遂行するうえで、「日本事情」「日本文化」に関する知識や、異文化理解能力、さらには社会一般に対する知識も必要になるでしょう。

注

*1：コースデザインについては、本シリーズ第1巻「日本語教師の役割／コースデザイン」を参照のこと。同書の「図4 コースデザインの流れ」(p.8)では「シラバスデザイン」「カリキュラムデザイン」という示し方をしているが、本書の「図2 コースデザインの流れ」では、「カリキュラム・シラバスデザイン」という示し方をしている。課題を中心にコースをデザインする場合、「シラバス」(教える内容)と、「カリキュラム」にかかわる素材、教え方などは切り離して考えられない場合が多いためである。

*2：国際交流基金（2017）『JF日本語教育スタンダード［新版］利用者のためのガイドブック』（1章 知識編）では、「活動Can-doの構造」を「条件」「話題・場面」「対象」「行動」に分けて説明している。「何ができるか」（課題）の記述を構成する要素の考え方として参考にすることができる。(https://www.jfstandard.jpf.go.jp/)

*3：国際交流基金（2017）『JF日本語教育スタンダード［新版］利用者のためのガイドブック』(pp.70-71、参考資料2)には、「言語能力と言語活動のカテゴリー一覧」が載っている。活動を、受容(理解する)、産出(表現する)、やりとり(相互行為)に分け、それぞれの分類で、どのようなカテゴリーがあるか並べてある。たとえば、産出(表現する)には、「経験や物語を語る」「論述する」「公共アナウンスをする」「講演やプレゼンテーションをする」など、さまざまなカテゴリーが並んでいる。(https://www.jfstandard.jpf.go.jp/)

*4：ここでは一般的な理解について述べている。実際の生活の中では、いろいろな素材があるので、本物であっても、「初級」で十分理解し、それを使って実際に近い言語行動ができる場合がある。たとえば、ひらがな、カタカナ、数字で書かれた看板やメニューなどは、「初級」でも、理解して必要な言語行動に結びつけることが可能。また、ここで取り上げた簡単に書かれた料理のレシピも、実際の生活の中で、友だちが簡単に書いてくれた料理の手順のメモであるとすれば、素材の本物らしさも高くなる。

*5：ロールプレイとは、決められた状況や場面で、学習者がある役割になって、自分で表現を選んでコミュニケーションする練習。この練習では、学習者は、あらかじめ場面や役割が書かれたカード（ロールカード）を渡され、それに基づいて演じることが多い。

*6：このほかにも、話者の気持ち（心的態度、ムード）を表す表現（～ようだ・みたい・そうだ・らしい、～かもしれない、など）や、説明や強調を表す「～んです」、だれからだれへといった関係性を表す「～てあげる」「～てもらう」などのやりもらいの表現（授受表現）、二重否定（「～なくもない」など）や部分否定（「～へは行かない」など）、主部と述部の呼応（「～のは、～ことです」など）、評価を含む副詞（かなり、さほど…）、ことばの省略形（～なきゃならない、～しちゃった…）など、形だけでなく、使い方も知っている必要がある。また、類似した機能を果たす文型や表現でも、その微妙なニュアンスの違いを理解して使い分けることが必要。たとえば、依頼の機能を表す表現でも、「～てくれる／～てくれませんか／～てもらえないでしょうか／～ていただけないかと思いまして」などさまざまな表現で意味の違いを表す。さらに接続表現に関しても、「中級」「上級」では、逆説の「～が／～けれども／～ものの／～にもかかわらず／…」など、微妙に違う文の関係性を表す接続表現の知識も必要。

3 「中級」「上級」の教え方

この章では、まず、「中級」「上級」を教えるときの基本的な考え方について整理します。次に、多技能を統合的に教える授業デザインを考え、それに基づいて具体的な活動方法を見ていきます。

3-1. 「中級」「上級」を教えるときの基本的な考え方

「課題」遂行を目的に、「中級」「上級」を教えるときの基本的な考え方として、次の4つを提案します。

> (1) 内容重視
> (2) インプットからアウトプットへ
> (3) 多技能統合型の授業デザイン
> (4) 流暢さ（fluency）の養成

(1) 内容重視

「内容重視」とは、読んだり聞いたり書いたり話したりする内容そのもの、メッセージを重視することです。ここでは、語彙や文法などの学習は、メッセージのやり取りの中で統合的にあつかわれます。

たとえば、「環境問題」という話題について考えてみましょう。学習者は、「環境問題」についての新聞記事を読んだりニュースを聞いたりして「環境問題」についての理解を深め、さらに、それについて自分の意見を述べたり書き表したりできるようになることを目指します。そして、語彙や文法などの言語知識やその運用能力などは、これらの活動を通して養成していきます。

「初級」は、ゼロの段階からの学習ですから、語彙や文法などの言語形式の面にどうしても重点を置く必要があります。一方、「中級」「上級」になれば、基本的な語彙や文法の知識は習得されていますから、より「内容重視」の教え方が可能になります。

(2) インプットからアウトプットへ

次の図4を見てください。第2言語習得研究（人がどのように母語以外の言語を習得するのかを明らかにしようとする研究）では、言語を習得するためには、まず、「インプット」が必要だと言われています。「インプット」とは、日本語を聞いたり読んだりすることです。そして、運用力が養成されるには、たくさんのインプットを得て、それが「理解できるインプット」になることが条件だと考えられています。「理解できるインプット」を得るために、私たちは、「背景知識」や「文脈・場面」を利用して「推測」や「予測」を行いながら理解を進めていっています。

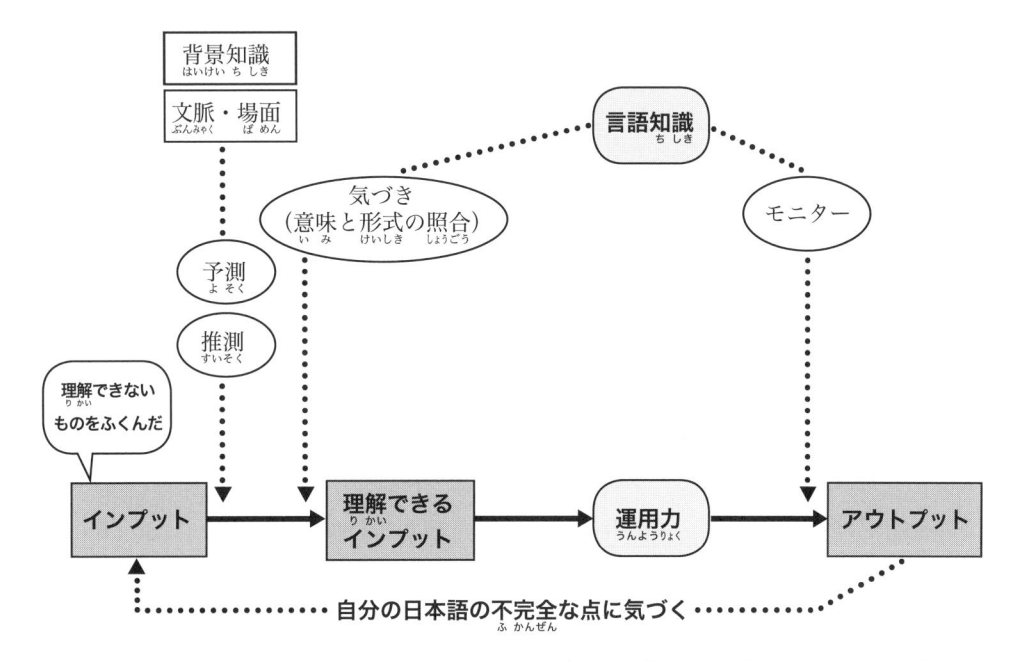

本シリーズ第5巻「聞くことを教える」p.8を参考に作成

図4　第2言語の習得過程

「インプット」に続いて、話す・書くという「アウトプット」の過程で、私たちは、自分が十分に言えないことや書けないことに気づいたり、相手にうまく通じなかったりすることによって、自分の日本語の不完全な点に気づきます。そして、その不完全な点を埋めるために、インプットにより注意を向けるようになります。こうした「インプット」から「アウトプット」への流れをくり返すことによって、運用力を伸ばしていきます。

「インプット」から「アウトプット」への流れを意識して授業を計画することは「初級」の段階から重要なことですが、実際の言語使用に近づく「中級」「上級」では、こうした習得の流れにそって授業を計画することがいっそう重要になります。特に、本書では、次の点に注意して教え方を考えていきます。

① 「理解できるインプット」を得るために、「背景知識」や「文脈・場面」を利用して、効果的に「推測」や「予測」ができるストラテジーを育てる。
② アウトプット活動を工夫することによって、自分の日本語の不完全な点に対する効果的な気づきが得られるようにする。

　一方、文脈と切り離された語彙や文法などの「言語知識」は、「インプット」を理解し、その中の言語表現の意味と形式を結びつけることを可能にしたり、アウトプットをするときに正しいかどうかを判断（「モニター」）することを可能にしたりします。しかし、「言語知識」だけを取り出して教えることは、「インプット」を与えることとは違います。ですから、どんなにたくさん語彙や文法だけを勉強しても、内容のあることを聞いたり読んだりしなければ、「運用力」は育たない点に注意が必要です。

(3) 多技能統合型の授業デザイン

　私たちの日常のコミュニケーションでは、講義を聞いた後、本を読んでレポートを書いたり、新聞やテレビのニュースで見聞きしたことについて友人と話し合ったりするなど、いくつかの技能が相互に関係し合っています。

　そこで、授業をデザインするときも、「読む」「聞く」「話す」「書く」のように１つの技能だけを切り取って考えるのではなく、ほかの技能と関連付けたほうが、実際のコミュニケーション活動に近くなります。

環境問題

(4) 流暢さ（fluency）の養成

　ことばには、形式上（文法、語彙、音声など）の正確さ（accuracy）とともに、それを実際に運用するときの流暢さ（fluency）が必要とされます。初級では、正確さに重点がおかれがちですが、「中級」「上級」では流暢さを高めていくことが必要

です。たとえば、表1の「ヨーロッパ共通参照枠（CEFR）・共通参照レベル：全体的な尺度」(p.6)には、B2レベルでは「お互いに緊張しないで母語話者とのやり取りができるくらい流暢かつ自然である」、C1レベルでは「ことばを探しているという印象を与えずに、流暢に、また自然に自己表現ができる」と書かれています。

ことばが流暢に使えるようになるためには、「言語知識」があるだけでなく、その「言語知識」を瞬時に引き出して使えるようになることが必要です。そのためには、アウトプット活動をくり返し行い、必要な言語形式を引き出して使うことを何度も経験するようにします。このような活動を実施することが、授業でも必要です。

3-2. 多技能統合型の授業デザイン

3-1で述べたことを考慮しながら、多技能を統合的にあつかう「中級」「上級」の授業デザインを考えます。

第2章で考えたように、まず、学習者にとって必要な、あるいは興味のある話題（トピック）を選び、次に、それについて学習者ができるようになってほしい到達目標（課題）を決め、それから、具体的な教室活動を考えます。

そして、インプットからアウトプットへという順番に活動を配置し、さらに、最初にウォーミング・アップを、最後にまとめの活動を置きます。1つの話題（トピック）についての流れは、次ページの図5のようになります。

多技能統合型といっても、話題によっては、特定の技能を重点的にあつかう場合もありますし、学習者のニーズや弱点に合わせて、ある技能を重点的にあつかうことがあってもよいです。

また、機関によっては「会話」「読解」「聴解」「作文」などのように、技能別の科目構成になっている場合があると思います。その場合は、1つの話題を、いくつかの授業科目で分けてあつかいます。コース全体を見たとき、4技能が相互に関連付けられてデザインされていればよいです。

次の3-3から3-7では、図5の流れにそって、具体的に教え方を見ていきます。

話題「..........」
到達目標（課題）

```
┌─────────────────────────────────────────┐
│ ................................. できる │
└─────────────────────────────────────────┘
```
↓

教室活動

ウォーミングアップ		動機づけ、活動目的の明確化 背景知識の活性化や必要な背景知識の導入	→ 3-3. ウォーミング・アップの活動
主な活動	活動1 ↓ 活動2 ↓ 活動3 ↓ 活動4 ↓	**インプット**中心の活動（聞く・読む） 例） ・話題に関係のあるニュースを聞いて、必要な情報を取る ・話題に関係のある新聞や雑誌の記事を読んで内容を理解する	→ 3-4. インプット中心の活動 → 3-5. 語彙や文型・表現の練習*
		アウトプット中心の活動（話す・書く） 例） ・話題に関係のあることについて、ディスカッションする ・ディスカッションの結果をまとめてレポートを書く	→ 3-6. アウトプット中心の活動
まとめ		・活動のふり返り ・評価（自己評価、学習者同士の評価、教師からのフィードバック）	→ 3-7. 活動の評価とふり返り

*語彙や文法などの学習は、インプット中心の活動、アウトプット中心の活動全体の中で行われるが、この章では、読解や聴解の後作業の中で語彙や文型・表現に注目して行う練習を取り上げる。

図5　多技能統合型の授業の流れ

考えましょう

【質問 27】

「環境問題」という話題で、6時間(3時間×2回)の授業を計画します。レベルは中級と考えます。到達目標は、「環境問題に関して、まとまった文章を読んだり、アンケート調査をしたりして調べ、その結果をまとめて発表することができる。」(pp.22-23 シラバス A 参照)とします。
インプット中心の活動、アウトプット中心の活動としては、たとえば、どのようなことをすればよいですか。前ページの図5「多技能統合型の授業の流れ」を参考に考えましょう。

3-3. ウォーミング・アップの活動

ウォーミング・アップの活動の目的は、授業であつかう話題について背景知識を活性化したり、必要な背景知識を導入したりすることによって、活動に対する準備をすると共に、学習動機を高めることです。話題に関する語彙の導入もここでいっしょに行います。

考えましょう

【質問 28】

【質問 27】で考えた「環境問題」という話題では、ウォーミング・アップの活動として、どのような活動を行えばよいでしょうか。

3-4. インプット中心の活動

多技能統合型の授業の流れの中の「読む」「聞く」というインプット中心の活動の進め方を考えます。

(1) 「読む」活動

3-1 (2)「インプットからアウトプットへ」で述べたように、私たちは「文脈・場面」を手がかりにして、自分の「背景知識」を使って、「推測」したり「予測」したりして理解を補っています。そして、読み進める中では、自分の理解を常に確認(「モニター」)しながら目的を持って読んでいます。ここでは、推測や予測、モ

ニターのストラテジーを意識的に使わせ、そうした能力を強化するための授業について、読解を例に考えます。

<読解の授業の流れ>

はじめに、市販の読解教材を用いて、授業の流れを考えます。その後で、いろいろな素材への応用を考えてみます。

ふり返りましょう

【質問29】
みなさんの「中級」「上級」の読解の授業では、どのような活動を、どのような順序で行っていますか。

考えましょう

ここでは、下の素材Eの文章を使って授業の組み立てを考えましょう。この授業の話題は、「言語とコミュニケーション」です。この読解の目的は、「言語を使わないコミュニケーションの方法について理解する」ことです。

素材E

車のコミュニケーション

　日本では自動車の運転免許を取ろうと思う人はたいてい自動車運転教習所に通う。そこで交通規則や運転の技術を教わるのだが、そこを卒業したからといって、それですべての学習が終わるわけではない。実際に街に出て走りながら身につける技術というものもある。運転手同士のコミュニケーションもその1つである。
　コミュニケーションといっても、わざわざ運転手が窓を開けて大きな声で言葉を交わすわけではない。音と光の合図で会話をするのである。例えば、狭い道などではヘッドライトを1、2回点滅させて対向車に道を譲り、譲ってもらった方はすれ違った時にクラクションを軽く鳴らす。また、無理に隣の車線に割り込んだ時には後ろの車に対してハザードランプを数回点滅させる。この3つは教習所で勉強する本来の使い方とは違うものである。しかし、実

際にはこのように音と光を使って、「どうぞ」「ありがとう」「すみません」という気持ちを伝え合っているわけである。

コミュニケーションをするからには、どんな合図がどんな意味になるかお互いに共通した理解がなければならない。ところが、言葉と同様に、誤解も起こるし『言い間違い』もある。「ありがとう」の意味でクラクションを鳴らしたのに、相手はそれを本来の意味にとって不快に感じることもあるし、軽く鳴らそうと思ったのに、うっかり力が入ってしまって「ブーッ」と鳴らしてしまうこともある。さらに面白いことには、この合図にも『方言』があるという。この点でも言葉によるコミュニケーションと同じというわけである。

このような合図は必ずしもしなければいけないというわけではないが、上手に使えば快適に運転ができるし、車の流れもスムーズになるはずである。

『ニューアプローチ中級日本語［基礎編］改訂版』（AGP アジア語文出版）p.200 より

【質問30】

次の活動Ａ～Ｈは、素材Ｅを使った授業で行う活動の例です。これらを利用して（必要がなければ使用しないものがあってもかまいません）読解の授業を計画する場合を考えてください。どの順番にしますか。

A. 文型説明：例文を使って意味と使い方を説明する。

例）「～からといって・・・というわけではない／とは限らない」
(1) 梅雨だからといって、いつも雨が降るとは限らない。ほとんど雨が降らない年もある。
(2) 法律に違反していないからといって、何でもやっていいというわけではない。マナーは守らなければならない。

同教材 p.204 を利用して作成

B. 文型練習：下線のところに適当なことばを入れて文を作成する。

例）「～からといって・・・というわけではない／とは限らない」
(1) 雑誌で紹介されたからといって、その店が必ずしも ＿＿＿＿＿＿＿＿。
(2) ＿＿＿＿＿＿＿＿＿＿＿＿＿＿＿、必ずしも安全だというわけではない。

同教材 p.206 を利用して作成

C. 語彙の意味理解：文章中の未習語の意味を理解する。

例） 技術を身につける　　ことばを交わす　　対向車に道を譲る
　　　車と車がすれ違う　　ハザードランプを点滅させる

D. 読解文内容理解：文章の理解を問う（大意把握）。

例）次の質問に答えてください。

(1) 車（運転手同士）のコミュニケーションというのは、どのようなことでしょうか。

(2) そのようなコミュニケーションの仕方は、どうやって身につけるのでしょうか。

(3) 車のコミュニケーションがことばと似ているのは、どのような点でしょうか。

同教材 p.201 を利用して作成

E. 読解文内容理解：文章の詳細な理解を問う。

例）文章の内容に合っているものには○を、合っていないものには×をつけてください。

(1) 自動車運転教習所でも、身につけることのできない運転に必要な技術がある。（　）

(2) 運転手同士は、路上でコミュニケーションが必要なとき、窓を開けて大きな声で話し合うのが普通だ。（　）

(3) 対向車に道を譲るときは、クラクションを軽く鳴らしてやればよい。（　）

(4) 混んでいる道などで、となりの車線に入りたいときは、ハザードランプを点滅して後ろの車に合図をおくる。（　）

(5) 道を譲ってもらったときにクラクションを軽く鳴らすのは、「ありがとう」の合図だ。（　）

(6) 運転手が使う合図は、共通しているので、誤解が起こることはない。（　）

F. 文章の内容についての発展的な話し合い：文章の内容に関連して、自分の経験や意見を述べる。

> 例）
> (1) みなさんの国では、車などの乗り物が合図によって、コミュニケーションすることがありますか。どんな場合があるか考えてください。
> (2) 人間同士の場合はどうでしょうか。ことばによらないコミュニケーションの例を考えてみてください。

G. 語彙練習（空白埋め）：（　　　）の中に適当なことばを入れる。

> 例）〔誤解　合図　無理に　譲る　すれ違う　とる　身につける〕
> (1) 廊下で（　　　）ときに軽く頭を下げてあいさつする。
> (2) 国によって習慣が違うので（　　　）が起こることがある。
> (3) この袋はそんなに丈夫じゃないから、（　　　）入れると破れますよ。
> (4) 免許を（　　　）ばかりなのでまだ運転は下手だ。
> (5) 最近は電車で席を（　　　）若い人は少なくなったようだ。
> (6) 向こうにいる友だちに「こっちに来てはだめだ」と目で（　　　）をしたが、気がつかなかったようだ。
> (7) 日本語を完全に（　　　）て、国際会議の通訳の仕事をしたい。
>
> 同教材 p.202 より

H. キーワードの確認と読解文のトピックについての話し合い：キーワードを確認して、本文の内容を予測させるような質問をする。

> 例）
> 1. イラストを見てください。次のことばは絵のどれに当たりますか。
>
> **クラクション、ヘッドライト、ハザードランプ**
>
> 2. 話し合ってください。
> (1) 路上で、クラクションを鳴らすのは、普通どのようなときですか。ヘッドライトは、どのようなときにつけますか。ハザードランプを点滅させるのは、どのようなときですか。
> (2) 車（運転手同士）は、路上でことばを使わないで、どのようにコミュニケーションするのでしょうか。

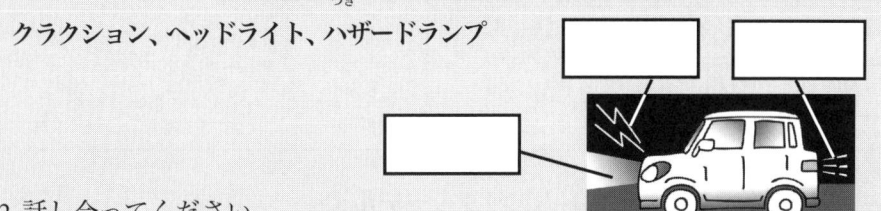

【質問 31】

【質問 30】であなたが考えた授業の流れは、次の授業の流れ A、B のどちらに近いですか。

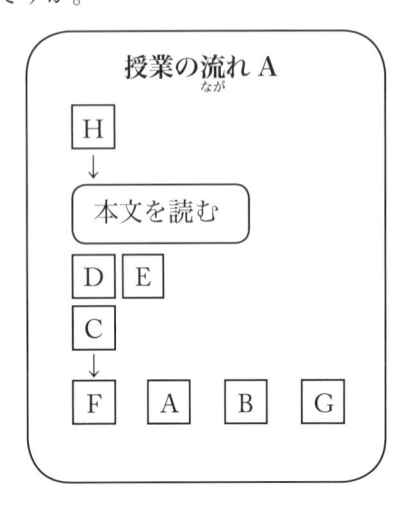

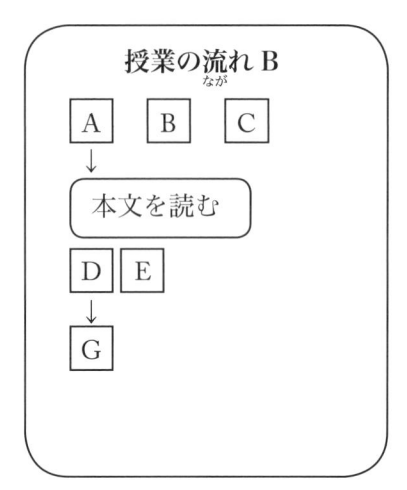

```
授業の流れ A
H
↓
本文を読む
D  E
C
↓
F  A  B  G
```

```
授業の流れ B
A  B  C
↓
本文を読む
D  E
↓
G
```

授業の流れ A、B を整理すると次のようになります。

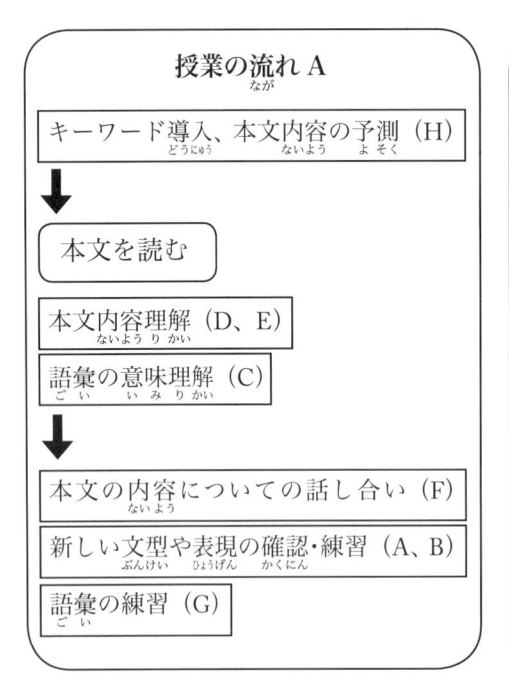

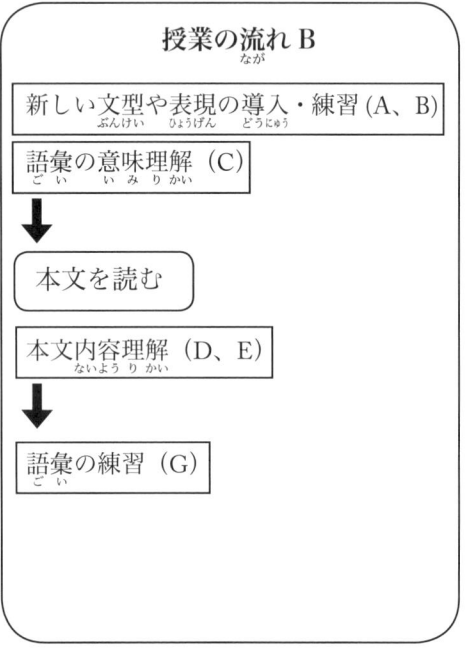

授業の流れ A
- キーワード導入、本文内容の予測（H）
- ↓
- 本文を読む
- 本文内容理解（D、E）
- 語彙の意味理解（C）
- ↓
- 本文の内容についての話し合い（F）
- 新しい文型や表現の確認・練習（A、B）
- 語彙の練習（G）

授業の流れ B
- 新しい文型や表現の導入・練習（A、B）
- 語彙の意味理解（C）
- ↓
- 本文を読む
- 本文内容理解（D、E）
- ↓
- 語彙の練習（G）

◆トップダウン・モデルとボトムアップ・モデル

　授業の流れ A では、はじめに、キーワードの導入と話し合い活動によって背景知識を活性化し、その背景知識を使って、学習者に文章全体の内容を積極的に「予測」させようとしています。語彙もキーワードだけを事前に確認し、文中に少しくらいわからないことばがあっても「推測」させようとしています。そして、自分の

理解を確認（モニター）させ、「予測」や「推測」といった仮説を修正させていきながら、文章を理解させています。このように、全体から部分へと理解を進めることを**トップダウン・モデル**と呼びます。

トップダウン・モデル

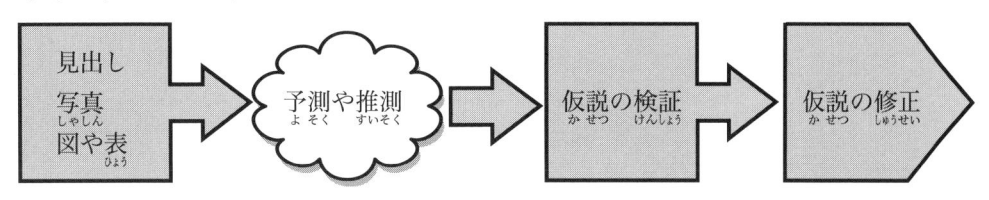

見出し・写真・図や表 → 予測や推測 → 仮説の検証 → 仮説の修正

それに対して、授業の流れBでは、語彙確認、文型や表現の導入・練習をしてから読解を行っていることからわかるように、「単語→文→文章全体」と小さい単位から大きい単位へと理解を進めていきます。このような理解のさせ方を、**ボトムアップ・モデル**と呼びます。

ボトムアップ・モデル

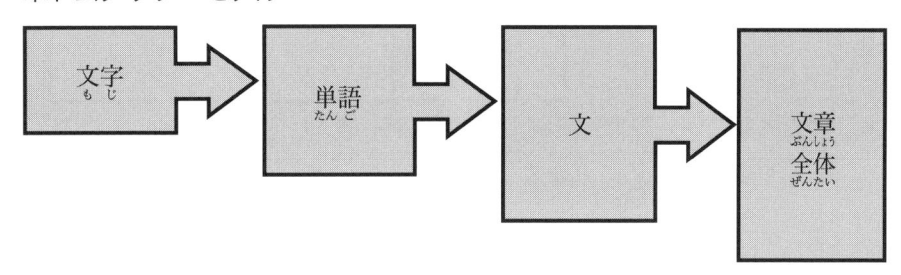

文字 → 単語 → 文 → 文章全体

　日常生活の読解では、ボトムアップ、トップダウンの両方を相互に使いながら理解を進めていますが、読解とは、文章の中に書かれた情報を受け取るだけの受動的な行為ではなく、自分の背景知識を使って、それと照らし合わせながら、文章の内容を再構築するような、積極的で能動的な行為であることがわかっています。「中級」「上級」では、日本語母語話者が接するのと同じような生素材が理解できることが目標になります。そのためには、母語話者が行っているような、能動的な読み方が大切です。特に、トップダウン的な読みができるかどうかが重要です。
　このような能動的な読ませ方をするには、前ページの**授業の流れA**の方法が必要であることがわかります。この読解の流れを確認すると次の図6のように、3つの段階に整理されます。

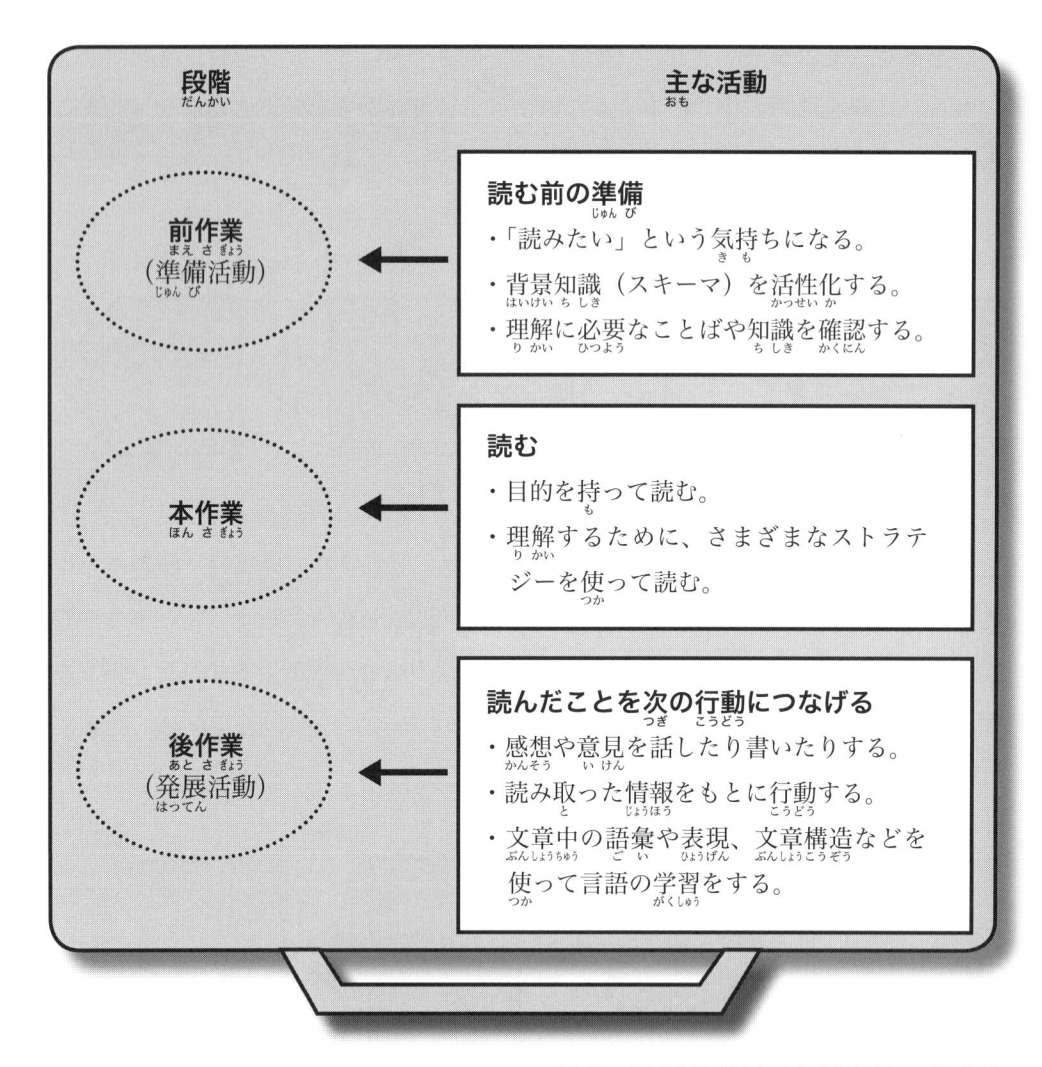

段階	主な活動
前作業 (準備活動)	**読む前の準備** ・「読みたい」という気持ちになる。 ・背景知識(スキーマ)を活性化する。 ・理解に必要なことばや知識を確認する。
本作業	**読む** ・目的を持って読む。 ・理解するために、さまざまなストラテジーを使って読む。
後作業 (発展活動)	**読んだことを次の行動につなげる** ・感想や意見を話したり書いたりする。 ・読み取った情報をもとに行動する。 ・文章中の語彙や表現、文章構造などを使って言語の学習をする。

本シリーズ第7巻「読むことを教える」p.28より

図6　読解の授業の流れ

考えましょう

【質問32】

【質問31】の授業の流れAのA～Hの活動を、図6「読解の授業の流れ」にそって整理してください。

① 前作業にあたるのは、どれですか。
② 文章を理解するのに必要な背景知識は、どのようなものですか。
③ キーワードは、何ですか。
④ 「読みたい」という気持ちにさせ、内容を積極的に予測させるために、どのような質問をしていますか。
⑤ 本作業にあたるのは、どれですか。

そのうち、よりトップダウン的な読みを促進するのは、どれですか。
⑥ 本作業で、学習者に目的を持って文章を読ませるためには、どのようにすればよいと思いますか。
⑦ 本作業で、語彙の意味の理解をうながすには、どのようにすればよいでしょうか。例をあげて、考えてください。
⑧ 後作業にあたるのは、どれですか。
⑨ ⑧のうち、「文章中の語彙や表現、文章構造などを使って言語の学習をする」のは、どの活動ですか。

「前作業」とは、読む前の準備をする段階です。話題についての経験や知識を共有し学習者が既に持っている背景知識を活性化します。それと同時に、文章を理解するのに必要なことばや社会文化的な知識があれば導入します。そして、学習者にこれから読む文章に対する興味や関心を持たせます。しかし、「理解に必要なことばや知識を確認する」とは、語彙や文型・表現をすべて導入するということではありません。推測のストラテジーを養成するために、理解に最低限必要なことば（キーワード）の導入にとどめることが必要です。

「本作業」とは、文章を数回にわたって読んで理解する段階です。学習者には目的を持って読ませるために、まず、質問を提示します。このとき、質問の内容は、大意の理解から細部の理解へと進むように工夫します。また、こうした活動の中で、教師が一方的に質問を与えるだけではなく、学習者にわかったこととわからなかったことを確認（モニター）させ、何の答えを見つけるために読むのかという読解の目的を学習者自身に意識させるようにするとより効果的です。

そして、「後作業」では、読んだ後に理解した内容に対して反応すること（感想や意見を話したり書いたりする、読み取った情報をもとに行動する）と、文章から語彙や文型・表現を学ぶことの両方をバランスよく取り入れます。

コラム～読解・聴解のストラテジーと既知語率～

トップダウン・モデルで使用する「予測」「推測」「モニター」などのストラテジーを養成するためには、教師は、学習者が興味を持ち、レベルに合った素材を提供することが必要です。では、学習者のレベルに合った素材とはどのようなものを指すのでしょうか。これは、現在の学習者のレベルよりも少し難しいもの、すなわち語彙や文型・表現に未知のものをある程度含んだ文章（テキスト）を使用するのがよいと言われています。

小森他（2004）は、語彙について、漢字圏の学習者を対象にした調査の結果、「文章理解課題の約8割以上で正答するには、96%程度の既知語率が必要」であることを示しています。
　この指摘を参考にすると、文章が学習者のレベルをはるかに超えていて、前作業が終わっても未知語が2割も3割も残るような文章は、トップダウン・モデルの読みのテキストとしては適切とは言えません。この場合は、ボトムアップ・モデルの読ませ方が中心になります。すなわち、もし、前作業の段階で大量の語彙のリストが必要な文章や、1行に何語も辞書をひかなければ読めない文章を使用する場合は、ボトムアップ・モデルに基づいた読ませ方になります。

◆辞書や語彙リストの利用法

ふり返りましょう

【質問33】
みなさんは、読解の授業で、学習者に語彙リスト（母語訳が書いてあるもの）を渡したり、辞書を使わせたりすることがありますか。その場合、どのように使わせていますか。

　「中級」以降、辞書を使って語彙を調べることが多くなります。辞書を使わせるときは、まず、写真や文脈、漢字から意味を推測し、その後で推測が正しいかどうかを確認するために辞書をひかせたり、どうしてもわからないことばだけを調べさせたりするようにします。
　語彙や文法の習得で大切なのは、学習者が語彙や文法と深く関わることだと言われています。つまり、語彙や文法の必要性を学習者自身が意識してから、その意味や機能を辞書や文法書などを使って調べたり、人にたずねたりすることによって関わりを深めることができるのです。
　ですから、新出語を全部調べさせるのではなく、調べることばを学習者に決めさせるようにしましょう。特に、推測させてから、問題意識をもって調べさせるということが大切です。
　また、母語訳のある語彙リストは学習者の予習の助けになりますが、推測のストラテジーを養成するためには、予習用の語彙リストはキーワードにとどめておく必

要があります。そして、もう1つ注意したいのは、母語訳だけでは、ことばの意味・用法を理解するには十分ではないという点です。母語訳を先渡しする場合は、後作業の段階で、例文を提示するなどして用法を十分に確認する必要があります。

ここまでで、読解の授業の流れを確認しました。次に、いくつかの素材への応用を考えてみましょう。

やってみましょう

【質問34】
次の素材を使って、前作業、本作業、後作業を考えてください。

素材A（料理レシピ）(pp.36-37)
課題：料理（肉じゃが）の手順とおいしく作るコツを理解し、実際に作ってみることができる。

素材B「食生活を見直そう」(pp.38-39)
課題：食生活が抱える問題を理解する。

＜学習者同士で行う読解活動＞
先に紹介した読解の授業の流れは、どちらかというと教師が主導権を握って学習者を引っ張っていくタイプのものでした。ここでは、学習者自身が仲間（ピア：peer）と協力して行う読解活動（**ピア・リーディング**）を紹介します。そして、その中で、学習者がどのように学ぶことができるかを考えます。

考えましょう

【質問35】
次の練習Aの手順2では、学習者同士でどのようなことを学び合うことができるでしょうか。

練習A. 素材B「食生活を見直そう」(pp.38-39)を次の指示にしたがって読んでください。

1. 次の質問に答えながら、1段落ずつ読んでください。（個人作業）
   - 1、2段落：スローフード運動がはじまったきっかけは何ですか
   - 3段落：ファーストフードの問題点は何ですか
   - 4、5段落：スローフード運動が目指すものは何ですか
   - 6段落：筆者はスローフード運動についてどう思っていますか
2. 読み終わったら、ペアになって、質問の答えを確認しながら、どうしてそう考えたかを説明し合ってください。わからない箇所があったら、自由に聞き合います。

　ピア・リーディングでは、自問自答しながら行っている普段は目に見えない読解過程（プロセス）を、仲間との対話によって目に見える形でとらえることができます。そして、それによって、仲間同士で、読解のストラテジーや知識を学ぶことができます。仲間との対話を通して、自分の読み方を見直す機会にもなります。
　次に、ピア・リーディングのもう1つの方法を紹介します。

【質問36】

次の練習Bのように、1つの文章を何人かで分担して読む場合を考えてみましょう。1人で読む場合とは、どのような違いがあると思いますか。

練習B. 次ページのA～Eは、練習Aであつかった素材B「食生活を見直そう」（pp.38-39）を5つに分けたものです。下の指示にしたがって読んでください。

1. 5人のグループになって、1人がA～Eの1つのカードを担当して読んでください。（教師は、A～Eをばらばらのカードにし、1人に1枚ずつ配る）
2. 読み終わったら、わかったことをグループのほかのメンバーに報告してください。報告を聞いてわからないことがあったら、お互いに質問し合ってください。
3. お互いに書いてあることが理解できたら、文章の全体構成を考えながら文章を並べ替えて、協力して次の質問に答えてください。

質問：この文章では、どのように「食生活を見直そう」と言っているのですか。それは、どのような背景から生まれましたか。そして、それは何を目指しているのですか。

食生活を見直そう

A. スローフード運動というと、「食事くらいゆっくり食べようじゃないか」というスローガンだけで語られることがあるが、協会が目指していることはもっと食文化の基本にかかわることである。

> [スローフード運動の三つの方針]
> 1. 消えつつある伝統的料理および質の高い食品を守る。
> 2. 質の高い素材を提供してくれる小生産者を守る。
> 3. 子どもたちを含めた消費者全体に味の教育を進める。

B. この方針が示すように、ゆっくり食事をすることが目的ではなく、ゆっくり食事を取ることで、普段何気なく口にしている食べ物に目を向け、その食べ物を通して、自分たちの住む地域、国の食文化を見直していこうということだ。そこには、やはり消えつつある食卓を囲んだ一家団らんの風景も見えてきそうだ。

　この運動はこの先も着実に広がっていくだろうか。それとも、一つのブームで終わってしまうのだろうか。

C. 流通システムが発達し、コンビニをはじめ、ファーストフード店やファミリーレストランなどのチェーン店が増え、同じ食べ物がどこでも手軽に食べられるようになった。それは食事を作るのが面倒な人や仕事で忙しい人にとっても、あるいは家族で外食を楽しむ人にとっても有り難いことだ。しかし、食べ物が規格どおりに大量生産される一方で、各地域の伝統的な食は隅に追いやられ、食の多様性が失われつつある。

D. どの国にもその国独自の食文化がある。料理や食事のマナーだけでなく、食事に対する考え方、食を通じたコミュニケーションなど、その文化を作り上げている要素は幅広い。

> E. 同じアジアでも日本とまったく同じ食文化の国はないのだから、それがヨーロッパの国ならば、ずいぶん異なる。そんなヨーロッパのイタリア地方都市で、1986年にファーストフードの出店をきっかけに、食文化を見直そうという運動が始まった。そして89年には「スローフード協会」という団体が設立された。ヨーロッパの人の考える食文化だから日本とは関係ないだろうと思っていたら、10年あまりで世界38か国、132都市に協会を持つまでに広がり、日本にも99年に協会が設立された。異なる食文化を持つ国々に、一つの運動がなぜこれほど広がっていったのか、そこには世界規模の何か共通した食文化についての危機感があったのだろう。

　この練習Bは、学習者間の情報差（インフォメーション・ギャップ）を利用しています。自分が読んだ部分について相手に説明したり、わからない点について質問し合ったりすることによって、文章理解が深まります。全員が情報を共有しなければ、文章は完成しませんし、課題も遂行できませんから、お互いの発言をよく聞くことも必要になります。このように、グループで協力して、部分から全体を完成させ、1つの答えを見い出す活動は、ピア・リーディングの中で**ジグソー・リーディング**と呼ばれています。

　ジグソー・リーディングには、いくつかの応用方法があります。

　小説などストーリー性があるものを使う場合は、積極的に予測のストラテジーを使わせるようにするとよいです。そのために、小説をいくつかの部分に分け、それぞれに続きを予測させる質問をつけて、分担して読ませます（個人での読み）。その後で、みんなで情報を統合して、ストーリーを完成します（ピアでの読み）。このとき、ストーリーの最後の部分だけを残して、前半をジグソー・リーディングをした後、グループ全員で、ストーリーの最後の部分を予測させる活動を入れるとさらに楽しくなります(*1)。

　また、「食生活」など、ある特定の話題について異なった記事や文章などを読み、それをクラスで報告するようにすれば、その話題についての理解を深めることができます。この場合、共有するのは、情報でもよいですし、意見でもよいです。たとえば、「英語教育の小学校への導入」についての異なる意見を、新聞記事や雑誌記事から探して読んで、クラスで報告し合うということも可能です。

(2)「聞く」活動

　トップダウン・モデルに基づいた理解の必要性は、読解の場合だけではなく、聴解の場合にも共通しています。聴解の場合は、読解と違ってインプットが音声であるため、前に戻って聞き直したり自分のペースでゆっくり聞いたりすることができません。また、「中級」「上級」になればテキストが長くなり、未習の表現もふえてくるだけに、トップダウン・モデルに基づく理解がいっそう大切になります。

＜聴解の授業の流れ＞

聴解の授業の流れは読解の授業の流れに似ていますが、くわしく説明すると、次の図7のようになります。

段階	主な活動
前作業 （準備活動）	**聞く前の準備** ・テキストの内容について学習者が持っている知識や情報、経験を引き出す。 ・テキストに関連した絵や写真を利用して、内容を予測させる。 ・キーワードを確認する。ただし、知らない語をすべて説明するのではなく、文脈から推測できそうな語は本作業で推測させる。 ・聞く前に質問を与え、聞き取りの目的を意識させる。
本作業 （聴解作業）	**聞く** ・聞く前に予測したことが正しかったかどうか確認させる。 ・1回目に聞くときは大意をとることに集中させ、細部の理解は2回目以降の聞き取りで確認する。 ・知らない語や聞き取れなかった部分を推測させる。 ・十分理解できなかったことについて質問させるなど、自分の理解をモニターする習慣をつける。
後作業 （発展活動）	**聞いたことを次の行動につなげる** ・聞いた内容について意見や感想を言ったり、書いたりする。 ・聞いた内容に関連して学習者が持っている知識や情報を発表させる。 ・テキスト中の単語や表現を学習する。 （テキストの空白埋め[*1]・再話[*2]・ロールプレイ）

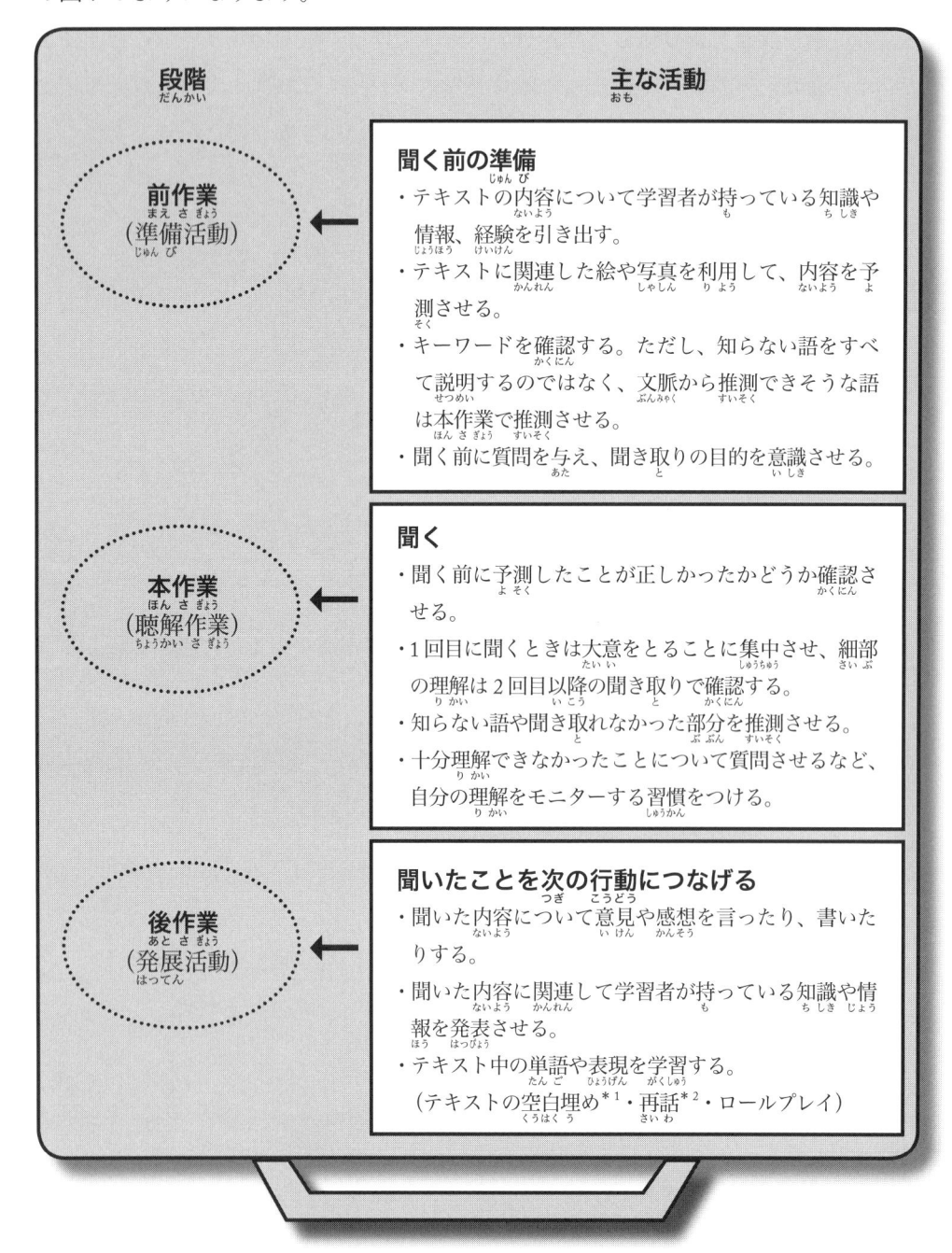

本シリーズ第5巻「聞くことを教える」p.50を利用して作成

[*1] 聴解のスクリプトの一部を空白にしておき、答えを書かせる活動。

[*2] テキストで理解したことを自分のことばで話させる活動。

図7　聴解の授業計画のガイドライン

考えましょう

【質問37】

図7「聴解の授業計画のガイドライン」を参考にして、下の素材Fを使って、前作業、本作業、後作業の計画を立ててみました。70ページの授業計画を見て、次の点について考えてください。

① 前作業として、ほかにどのような方法が考えられますか。
② 本作業1で、「1回目の聞き取りでは基本的な情報を聞き取らせる」とありますが、たとえば、どのような質問をすればよいですか。
③ 本作業4で、「大体の内容が聞き取れた段階で、次のような質問をすることによって、未習語を文脈から推測させる」とありますが、質問の例を考えてください。
④ 後作業1の話し合いの内容を考えてください。
⑤ 後作業2の例は、接続表現や文末表現に注目したスクリプトの空白埋めの例です。漢字熟語に注目したスクリプトの空白埋めの例を考えてください。

素材F

屋上の緑化

みなさんはヒートアイランド現象ということばを聞いたことがありますか。ヒートアイランド現象は夏の都市の中心部の気温が郊外に比べて非常に高くなる現象です。都市には人口が集中しています。また、車やエアコンなどによって膨大なエネルギーが消費されています。これによって、都市の温暖化現象が起きているのです。

たとえば、ある夏には、東京都心の気温と郊外の八王子の気温の差が8度以上になったこともあります。このままいくと2031年には東京都心の夕方6時の気温は、43度を超えるだろうとも予測されています。

ヒートアイランド現象のもう一つの原因は温暖化を防ぐ働きをする緑が少なくなったことです。そこで、東京都ではなんとか緑を増やそうと、ある規則を作りました。2000年4月から大きいビルを新しく建てる場合、屋上の面積の20パーセント以上に木や草などの緑を植えなければならないという規則です。

では、緑を増やすことによってどのくらい気温が下がるのでしょうか。東北大学の斎藤教授の研究によると、東京のビルの47パーセントを緑化すれば、東京の真夏の気温を今より4度下げることができるということです。

『毎日の聞きとりplus40下』（凡人社）スクリプトp.30より

授業計画

○前作業
- 「屋上の緑化」というタイトルを提示して、それについて知っていることや予測できることを自由に話し合わせる。「屋上の緑化」は何のために行うのか、また、「屋上を緑化」すると環境にどのような影響があるかなどについて考えさせる。

○本作業
1. 1回目の聞き取りでは、次のような基本的な情報を聞き取らせる。そして、前作業の予測と合っていたかどうかを確認する。

2. 2回目の聞き取りに入る前に、十分理解できなかったことについて「質問」の形でメモさせたり、言わせたりする。これによって、自分がわからなかった点をモニターさせることができる。

3. 十分理解できなかったこと（「質問」の内容）を中心に、2回目の聞き取りを行う。

4. 大体の内容が聞き取れた段階で、次のような質問をすることによって、未習語を文脈から推測させる。

○後作業
1. 次のようなことについて話し合う。

2. スクリプトの空白埋め（定着させたいことばや表現に焦点をあてる）
   例）

   > みなさんはヒートアイランド現象 _____ ことばを聞いたことがありますか。ヒートアイランド現象は夏の都市の中心部の気温が郊外に _____ 非常に高くなる現象です。都市には人口が集中 _____ 。また、車やエアコンなど膨大なエネルギーが消費 _____ 。これによって、都市の温暖化現象が起きているのです。
   > たとえば、ある夏には、東京都心の気温と郊外の八王子の気温の差が8度以上になったこともあります。このまま _____ 2031年には東京都心の夕方6時の気温は、43度を超えるだろうとも予測 _____ 。

＜学習者同士で行う聴解活動＞

考えましょう

【質問38】
前ページの「屋上の緑化」の授業計画（p.70）に、ピア活動を取り入れるとしたら、どこで取り入れることができますか。

　聴解のプロセスを学習者同士で共有することによって、何を手がかりにどのように推測や予測を行ったか、何がわかって何がわからなかったかを意識化させることができます。「屋上の緑化」の授業計画であれば、次のように本作業を計画することができます(*2)。

○本作業
1. 基本的な情報を聞き取るために、第1回の聴解を行う。このとき、事前に、何を聞き取ればよいか共通のタスクを与える。（個人活動）
　例）「屋上の緑化」を行うと、どんな効果が期待できるか
2. タスクの答について、学習者同士（ペアもしくはグループ）で話し合う。特に、どうしてそう考えたのか理由を話し合うようにする。そして、わからなかった点について、ペアもしくはグループごとに「質問」の形で書くことによって、2回目の聴解の目的を明らかにする。（ピア活動）
3. 2回目の聴解を実施する。それぞれの「質問」の答えを、まず学習者1人1人が考える。（個人活動）　次に、答えは何か、どうしてそう考えたのかについて、学習者同士で話し合う。（ピア活動）
4. 最後にもう一度テキストを聞かせ、共通のタスクの答えをクラスで確認する。（個人活動）

＊必要に応じて、手順2、3をくり返す。

　ピアで行う聴解活動のもう1つの形として、ジグソー・リスニングがあります。ジグソー・リスニングはジグソー・リーディングと同様、何人かで分担して行う聞く活動です。素材としては、事件の目撃情報のように、全体の話を統合することによって問題解決につながるようなもの、1つの話題（例「小学校への英語教育導入の是非」）についての異なる意見を聞いて、さまざまな立場の意見を共有するものなどが考えられます。次に紹介するのは、異なる意見についてのジグソー・リスニングの例です。

考えましょう

【質問39】

次の練習C「国際結婚」のジグソー・リスニングについて考えてください。
① 手順1の話し合いの目的は何ですか。
② 3で、学習者に、協力して同じ音声を聞かせる目的は何ですか。
③ 5の話し合いで学習者にできるようになってほしいことは何ですか。1の話し合いとの違いを考えてください。

練習C. 4人の人が国際結婚についての自分の意見や経験を話しているのを聞きます（内容は次ページのスクリプト参照）。

1. クラス全体で、「国際結婚についてどう思うか、いいと思うところ、難しいと思うところ」を話し合う。（前作業）
2. 事前準備として、4人の発話を別々に分けた音声を作っておく。
3. クラス全体を4つのグループ（A、B、C、D）に分け、それぞれのグループが、1人の人の意見（聴解スクリプト）を聞く。そして、下のようなタスクシートにメモする。
   わからないところは、グループで協力し合う。（本作業1）
4. 4つのグループのそれぞれのメンバーが、ほかのグループの人と新しいグループを作る。1つのグループは4人で、もとのA、B、C、Dのメンバー1人ずつから成る。グループで、それぞれが聞いた人の意見について、ほかの人に説明する。そして、聞いた意見を整理して、肯定的な意見と否定的な意見に分ける。（本作業2）
5. 最後に、4人の人の意見を参考にして、国際結婚についての自分の意見を話し合う。（後作業）

タスクシート例

```
●●さん
国際結婚に（賛成・反対）
理由：
```

聴解スクリプト

杉本正さんの意見

　私はどちらかと言うと国際結婚には否定的な意見を持っています。なぜならば、文化の違う二人が結婚するというのは口で言うほど簡単ではないからです。例えば宗教の問題です。日本人同士の結婚では宗教はあまり大きな問題ではありませんが、国によっては必ずしもそうではありません。「ほかの宗教の人と結婚する」と考えてみてください。信仰の違う二人が結婚して、はたしてうまくやっていけるでしょうか。子どもの宗教や教育の問題はどうしますか。いろいろ難しい問題が起きるでしょう。それに、あまりこんなことは考えたくありませんが、もし日本があなたの夫や妻の国と戦争することになったら…。よく「愛は国境を越える」と言いますが、現実はもっと厳しいと思います。もちろん、強いきずなで結ばれた夫婦や家族もいるでしょう。でも、一般的に言って、やはり国際結婚は難しいと思います。

山崎敬子さんの意見

私の夫はバングラディシュ人で、今は日本の貿易会社に勤めています。（中略）結婚で一番大切なのはまわりの意見ではなく、自分たちの気持ちだと思ったからです。それに、たとえ日本人同士の結婚であっても、価値観が合わなければ、必ずしもうまくいくとは限りません。その点、私と夫の価値観はよく似ていました。たとえ言葉や文化が違っても、二人が愛しあってさえいれば、どんな問題も必ず乗り越えられると思います。

木下花江さんの意見

もし娘から「外国の人と結婚したい」と言われたら、私は反対すると思います。もうそういう時代ではないということは十分にわかっていますが、それでもやはり心配なのです。例えば言葉の問題です。外国語がまったく話せない私は、娘の夫や孫とどうやって話せばいいのでしょう。それに、外国の人と結婚したら、娘はいつか私たちを置いて遠い外国へ行ってしまうかもしれません。一人っ子ですし、できればずっと私たちのそばにいてほしいのです。（中略）ですから、やはり娘には日本人と結婚してほしいと思っています。

73

> **加藤太郎さんの意見**
> 息子はオーストラリアの女性と結婚したのですが、結婚の時に反対しなかったと言えば、うそになりますね。私もやっぱり心配でした。(中略)国際結婚は確かにいろいろ大変ですが、前向きに考えて楽しむことさえできれば、たとえ言葉や文化の問題があっても、大丈夫なのではないでしょうか。結婚したばかりのころは、私も嫁に対して「どうして…」と思うことが多かったのですが、最近は「なるほど、そうか」と思うことが多くなりました。今は息子が国際結婚してくれてよかったと思っています。

『J. Bridge(新装版)』(凡人社) pp.155-156 より

　ここでは、市販教材を利用した、ジグソー・リスニングの例を紹介しました。教室内で実施するには、音声を別々に聞く環境を整えなければならないので、やや手間がかかります。

　一方、聴解の場を教室内に限定せずに教室外活動として実施できるのであれば、可能性が広がります。同じ話題や事件についてのニュース(ウェブサイトを利用、詳細は3-8コラム参照)を学習者1人1人が聞いてきて、クラスで報告し合い、情報を共有するとともに、取り上げ方の違いに注目させることができます。下のワークシートは、ニュースを報告するためのメモです。こうした聞き方(同じ話題のニュースについて話し合う)は、実際のコミュニケーション活動そのものなので、学習者が自由にインターネットにアクセスできるのであれば、是非、上級のクラスなどで取り入れてみてほしいと思います。

> **ワークシートの例**
> 　　　　　　　　　　**ニュースを聞こう！**
> 　　ニュースのタイトル：＿＿＿＿＿＿＿＿＿＿＿＿(月 日)
> 　　情報源(　　　　　　　　　　　　　　　　　)
> 　　　わかったこと　　　　　　　　疑問やコメント

<「聞く」活動のいろいろ>

いくつかの素材への「聴解の授業計画のガイドライン」（p.68 図7）の応用を考えてみましょう。

◆ニュースを視聴する

やってみましょう

【質問40】
図7「聴解の授業計画のガイドライン」（p.68）を参考にして、次のニュース（素材G、H）を理解するための授業の流れを考えてください。

素材G

リサイクル

　東京都では、ペットボトルを店頭で回収するための新しいリサイクルルートづくりに取り組んできましたが、このほど、およそ3400店のスーパーやコンビニエンスストアなどが参加することになったと発表しました。これは23区内でペットボトルを扱う店のおよそ3割にあたります。
　ペットボトルは、ガラスびんやあき缶にくらべ、リサイクルが遅れており、このため東京都は、販売業者が店頭で回収するという案を出していました。
　ごみ問題が深刻になっている東京都は、古紙の回収や古いタイヤを原料にした更生タイヤの利用など、リサイクルに力を入れてきました。
　ペットボトルの回収は4月から実施されますが、およそ2500店のコンビニエンスストアでは、回収ボックスのデザインをそろえるなど、準備に時間がかかるため、10月からの参加になります。

『ニュースで学ぶ日本語パートⅡ』（凡人社）スクリプト p.148 より

素材H

交通事故

　東名高速道路上り線の焼津―富士インター間の通行止めが、今日午前8時に、14時間ぶりに解除されました。
　これはきのう夕方、静岡県の東名高速道路で、大型トレーラーが中央分離帯を越えて対向車線に飛び出し、6人が死亡した事故で、上り線の焼津―富士インター間が通行止めになっていたものです。しかし、上下線とも約15キロの渋滞で、高速道路にほぼ平行している国道1号線も、上下それぞれ30キロから10キロにわたって渋滞しています。
　これまでの調べでは、きのう、下り車線を走っていた野口容疑者のトレーラーの右側前輪がパンクしました。バランスをくずしたトレーラーは中央分離帯に激突し、そのまま対向車線に飛び出して、走ってきたワゴン車など3台に衝突しました。この弾みで、東名高速道路に平行している国道1号バイパスに、積み荷が落下し、そこで信号待ちをしていた乗用車1台が下敷きになったものです。
　静岡県警は、現行犯逮捕したトレーラーの運転手、野口容疑者の取り調べを再開し、本格的な捜査を始めています。

『ニュースで学ぶ日本語パートⅡ』（凡人社）スクリプト p.150 より

　ここで取り上げたニュースは、中級用に作られた市販教材のものですが、生のニュースを利用する場合は、未習のことばや、聞き取れないことばが多く含まれています。それだけに、タイトルや映像からの予測、話題についての話し合いなど、前作業をていねいに行うことによって、学習者の背景知識を活性化し、予測や推測のストラテジーが効果的に使えるように工夫する必要があります。また、本作業の段階では、すべてを聞き取らせようとするのではなく、学習者のレベルに応じて、必要な情報を聞き取る（スキャニング）ことを重視するようにします。

◆テレビやビデオのドラマを視聴する

やってみましょう

【質問41】
テレビやビデオのドラマのように、ストーリー性のあるものを授業で使おうと思

います。
① ストーリーを積極的に予測させるためには、どのような前作業が効果的だと思いますか。
② 本作業の段階では、どのようにすればよいでしょうか。
③ 後作業で「テキストの中の単語や表現を学習」する場合、ドラマなどから学ぶことが効果的な言語的な特徴はどのようなものでしょうか。

　実際に私たちがドラマを見る場合、何の背景知識もなしに見るということはあまり考えられません。ドラマのタイトルや登場人物、DVDのジャケットに載っている場面、あるいは新聞のテレビ欄の紹介記事やテレビの予告編などからドラマの内容を予測し、自分の気に入るものを選んで見ていることが多いのではないでしょうか。前作業でも、私たちがドラマを見るときに行っている行動を参考にするとよいと思います。たとえば、タイトルと登場人物を紹介してどのようなストーリーか考えさせたり、ドラマのいくつかの場面（映像）を見せて全体のストーリーを予測させたりすることができます。また、ドラマの中の台詞をいくつか選んでそこから内容を想像させたり、ドラマの紹介記事を読ませて、展開を考えさせたりするのもよいと思われます。

　ドラマを見ながら私たちが行っていることは、話の展開の予測です。連続ドラマを見るときなど、次回はどのような展開になるだろうと想像することがよくあると思います。それと同じように、本作業の段階でも、1つの場面が終わったら、次がどうなるかという予測を積極的に行わせます。そして、予測と合っていたかどうか、違っていたのはどういう点か確認しながらドラマを見ることによって、ストーリーが理解できるようになります。また、ドラマの途中部分を飛ばして見せて、飛ばした部分を想像させるという活動も考えられます。

　ストーリーが理解できるようになったら、単語や表現などの言語形式に焦点を当てた活動ができます。ドラマは、場面や状況に関する情報が豊かですから、どのような場面でだれとだれが話しているのかがすぐにわかります。1人の登場人物を取り上げて、場面や相手によって話し方がどう変わるかを観察させると効果的です。方法としては、スクリプトの一部を空白にしたもの（縮約形、敬語など、ことばの使い分けにかかわるところを空白にする）を配布してどのように言うかを考えさせてから、音声を再生して確認します。第2章で見たように、「〜てもらう」「〜てあげる」「〜てしまう」「〜んです」など、話し手の気持ちを表す形式に焦点を当てるのも効果的です。また、定型表現や慣用句などに注目させることも考えられます。

さらに、映像は、言語的な面だけではなく、非言語コミュニケーションや文化的な情報もたくさん含んでいますから、これらに注目させる活動も考えられます(*3)。

整理しましょう

「読む」「聞く」の2つの技能について、前作業、本作業、後作業の流れを確認しました。そして、その中で、予測や推測、モニターなどのストラテジーを高めるための方法を考えました。また、ピアで行う読解や聴解の方法を見ました。自分の授業にどのように取り入れればよいか、工夫してみてください。

3-5. 語彙や文型・表現の練習

3-4では、読解と聴解の授業の流れを見ました。そして、語彙や表現、文法などの学習は、読んだり聞いたりして文章を理解した後に行うことを確認しました。ここでは、その方法を、具体的に考えます。

ふり返りましょう

【質問42】

【質問31】で考えた授業の流れA（p.58）をふり返って、考えてみましょう。

① 文章の中の語彙や文型・表現（ここでは「～からといって…というわけではない／とは限らない」）に注目させて、意味・用法を理解させるには、どのようにすればよいと思いますか。

また、この方法は、「初級」の場合と比べるとどう違いますか。

② ①の語彙や文型・表現を使えるようにするためには、どのような練習がありましたか。

③ このような方法は、みなさんのこれまでのやり方とどのように違っていますか。

新しい語彙や文型・表現の理解と練習は次のような流れで行われます。

---

1. 前作業で学習者の背景知識を活性化して内容の予測ができるようにする。
   そのために、ここでは必要なキーワードのみを確認する。
2. 本作業では、大意把握から詳細な情報把握へと段階的に理解を進める。
   その中で、未習の語彙や文型・表現の意味を推測させる。

3. 後作業では、本作業で理解した未習語や文型・表現を使う練習をする。

＜語彙や文型・表現への気づきをうながす＞

3-1の図4（p.49）で見たように、第2言語習得研究では、**気づき**が重要だと言われています。「気づき」とは、学習者がインプットの中の新しい言語形式（語彙、文法、表記、音声など）に気づくことです。何かを聞いたり読んだりして理解するというプロセスでは、背景知識や文脈から得られる知識など、いろいろな情報の助けを借りて理解が行われています。ですから、インプットの意味が理解できたからといって、インプットの中にある語彙や文法などの言語情報がすべて理解されたということにはなりません。つまり、習得が起こるには意味がわかるだけでなく、そこで使われた言語形式に気づき、意味・用法について自分で仮説を立てて検証（**仮説検証**）していくことが必要なのです。そこで、「内容重視」の授業を進めながら、語彙や文型・表現などの新しい言語形式への気づきをうながすことが大切になります。

◆ディクテーション

言語形式への気づきをうながすには、さまざまな工夫が必要です。まず、一回だけではなく、何回も同じ形式に触れると注意が高まります。また、文章中に下線を引かせたりするのも、特定の形式に注目させるにはよいでしょう。ここでは、自然な文脈の中で、何回も目標となる言語形式を聞いて、それを**ディクテーション**（聞き取ったことを書く練習）することによって、新しい言語形式への気づきをうながす方法を紹介します。

考えましょう

【質問43】
次は、聴解練習の一部です。聴解練習の流れを見て、考えてください。
① 聴解1と2、聴解3の目的は、それぞれ何ですか。

LISTENING（聴解）
1. ある母親が自分の息子の教育について話しています。この母親はこれまで息子にどんなことをさせ、どんなことをさせませんでしたか。CDを聞き、

下の表の「母親」のところに「母親が息子にさせたこと」には○を、「させなかったこと」には✕を書いてください。

質問	母親	息子	質問	母親	息子
塾に通わせる	（　）	（　）	TVゲームをさせる	（　）	（　）
英語を習わせる	（　）	（　）	小説や詩を読ませる	（　）	（　）
漫画を読ませる	（　）	（　）			

2. 上の表の「息子」のところに、息子が「したかったこと」に○を、「したくなかったこと」に✕を書いてください。

3. もう一度CDを聞き、a.～x.にことばを書き入れてください。

母親の意見
「将来、子どもには医者か外交官になってほしいので、大学もできれば医学部か法学部に a.＿＿＿＿ と思っています。そのために、小学生の時からずっと塾に b.＿＿＿＿ きましたし、英語も c.＿＿＿＿ きました。もちろんテレビゲームは絶対に d.＿＿＿＿ し、漫画も e.＿＿＿＿ 。」（以下略）

息子の意見
「高校を卒業したら、ぼくは芸術大学に行きたいと思っています。そこで絵の勉強をして、将来は画家になるのが夢なんです。両親はぼくに医者か外交官になってほしいと思っているようだけど、ぼくにはそのつもりはありません。ぼくの父と母はとにかく厳しくて、子どものころからいろいろなことを n.＿＿＿＿ 。ぼくはもっと遊びたかったのに、塾に o.＿＿＿＿ 、英語を p.＿＿＿＿ しました。もちろんテレビゲームなんか絶対に q.＿＿＿＿ し、漫画も r.＿＿＿＿ 。（中略）でも、高校を卒業したら、今度はぼくの好きなように x.＿＿＿＿ と思っています。」

『J.Bridge（新装版）』（凡人社）pp.201-203 より

② 聴解3で、すぐにCDを聞いてディクテーションさせるのと、下線に入ることばを考えさせてからCDを聞いて確かめさせるのでは、学習者にとってどのような違いがあると思いますか。

　学習者の習得が進むのは、学習者が話したり書いたりする過程で、自分の「言いたいこと」と「言えないこと」とのギャップに気づくことだと言われています。ギャップに気づくことで、それを埋めるための新しい知識を取り入れるためにインプットに

注意を向けるようになります。ですから、授業でも、学習者にアウトプットさせてみることによって、ギャップ（自分の日本語の不完全な点）に気づかせた後で、もう一度インプットを与えると効果的です。【質問43】で下線の部分に入ることばを考えさせてからディクテーションする方法は、このギャップへの気づきを利用したものです。

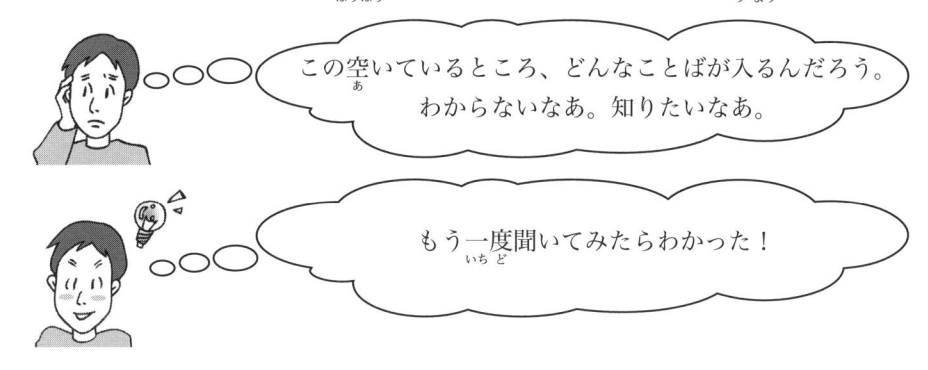

> この空いているところ、どんなことばが入るんだろう。わからないなあ。知りたいなあ。

> もう一度聞いてみたらわかった！

<語彙や文型・表現の練習のいろいろ>

ここでは、新しく気づいた語彙や文型・表現を使って話したり書いたりできるようにするにはどのようにすればよいか、ディクテーション以外の方法について考えます。

◆文作成

目標となる文型や表現を使って短い文を自由に作らせる練習は、よく行われる練習だと思います。その目的や方法について、もう一度、考えてみましょう。

考えましょう

【質問44】

①次の練習D、E、Fで、学習者に負担が少ないのはどれでしょう。また、練習のはじめの段階では、どれがよいと思いますか。

②練習EとFで、文を作らせる練習を考える場合、どのような点に注意すればよいですか。用例辞典を持っている人は、どのような例文があるかを調べ、そのまま使って問題がないか考えてみてください。

③練習D、E、Fのような文作成練習のよい点は何でしょうか。また、不足しているのは、どのような点でしょうか。

練習D.「～からといって、…というわけではない／～とは限らない」を使って短い文を作ってください。

・ _____

81

練習 E. 次のことばを使って「～からといって、…というわけではない／～とは限らない」の短い文を作ってください。ことばの順番は変えてもよいです。

1.〔有名大学　卒業　就職　大企業　必ずしも〕

2.〔ブランド物の服　似合う　高価な〕

3.〔レストラン　グルメ雑誌に紹介　おいしい〕

練習 F.「～からといって、…というわけではない／とは限らない」を使って、文を完成させてください。

---
(1) 雑誌で紹介されたレストランだからといって、必ずしも ＿＿＿＿＿＿＿＿
＿＿＿＿＿＿＿＿＿＿。

(2) 規則に違反してないからといって、電車の中で ＿＿＿＿＿＿＿＿＿＿
＿＿＿＿＿＿＿＿＿＿。

(3) 雨季だからといって、毎日 ＿＿＿＿＿＿＿＿＿＿＿＿＿＿＿＿＿＿
＿＿＿＿＿＿＿＿＿＿。

　自由な文作成（練習 D）は、焦点となる文型の意味・用法の理解だけではなく、語彙も含め幅広い言語知識を必要とし、それをきたえることができます。しかし、対象となる文型・表現の使い方がまだよくわからない学習者にとって、自由に例文を考えるのは、とても難しいことです。また、学習者は焦点となる文型、表現の意味、用法以外のところで間違うことも多く、なかなか正しい文が作れません。

　それに対して、単語や文の一部が与えられる（練習 E、F）と文脈が明らかになるので、学習者は焦点となる文型にだけ注意を払うことができます。ですから、練習の初期の段階では、こちらのほうが適していると言えます。

　練習 D、E、F のような文作成練習は読解教材によく見られるものです。また、このような文作成練習の前に、例文を読ませて意味を確認することもあります。これらの練習の目的は、何でしょうか。それは、いくつかの例文に触れることによって、文型・表現の意味の理解を深めることです。しかし、これらは、文単位の練習であるため、実際にどのような場面で使えばよいかがわかりにくいのが欠点です。ですから、正しい例文が作成できたからといって、必ずしも自然なコミュニケーションの中で使えるようにはならないという点に注意しましょう。

考えましょう

【質問 45】

次の練習 G と、【質問 44】の練習 D、E、F の違いは何でしょう。また、実際のコミュニケーションで使えるようになるには、どちらがよいでしょうか。

練習 G.「～からといって、…（という）わけではない／とは限らない」を使って、ペアで会話練習をしてみます。まず、モデルを見て練習してください。次に (1)(2) の _____ に入ることばを考えて会話をしてみましょう。

モデル

A: 最近、さくらというレストランが雑誌に紹介されていました。高いみたいですが、おいしいでしょうか。

B: う～ん、雑誌に紹介されたからといって、<u>必ずしも、おいしいわけではないと思います</u>。

A: そうですか。

B: <u>インターネットを見たり、人に聞いたりして、もう少し、情報を集めた方がよいですよ</u>。

A: そうですね。そうします。

(1) A: 最近、バスや電車の中で、お化粧をしている人をときどき見かけますね。規則違反ではないですが、どう思いますか。

　　B: 規則違反でないからといって、_____。

　　A: そうですか。

　　B: 見ていていやだし、_____ べきではないでしょうか。

(2) A: 雨季って毎日雨が降るのでしょうか。（雨季と乾季がある国で）

　　B: 雨季だからといって、_____。

　　　それに、_____。

　　　雨が降るのは、たいてい、夕方です。

　　A: そうですか。

　　B: はい、だから、_____ 大丈夫です。

　　A: そうですか。

練習 G のように談話の形にして練習すると、実際の場面での使い方がわかるようになり、「使える」ことに一歩近づきます。

◆テキストの空白埋め

「中級」以上では、まとまりのある談話の中で、目標となる言語形式が使えるようになることが大切です。「テキストの空白埋め」は、意味を重視しながら言語形式に注目させる練習です。この練習は、語彙の場合にも、文型・表現の場合にも利用できます。

考えましょう

【質問46】
テキストの空白埋め（練習H、I）のよいところは何ですか。また、不足しているところは何ですか。そして、それを補うためにはどうすればよいですか。

練習H. 素材E（pp.54-55）の文章を読んだ後、内容を思い出しながら＿＿＿＿に、適当な表現を書いてください。そして、もとの文章と比べてください。

　日本では自動車の運転免許をとろうと思う人はたいてい自動車運転教習所に通う。そこで交通規則や運転の技術を教わるのだが、そこを卒業した＿＿＿＿＿＿、それですべての学習が終わる＿＿＿＿＿＿。実際に街に出て走りながら身につける技術というものもある。運転手同士のコミュニケーションもその一つである。

　コミュニケーションといっても、わざわざ運転手が窓を開けて大きな声で言葉を交わす＿＿＿＿＿＿。音と光の合図で会話をするのである。例えば、狭い道などではヘッドライトを1、2回点滅させて対向車に道を譲り、譲って＿＿＿＿＿＿方はすれ違った時にクラクションを軽く鳴らす。また、無理に隣りの車線に割り込んだ時には後ろの車に対してハザードランプを数回点滅させる。この3つは教習所で勉強する本来の使い方とは違うものである。しかし、実際にはこのように音と光を使って、「どうぞ」「ありがとう」「すみません」という気持ちを伝え合っている＿＿＿＿＿＿。

　コミュニケーションをするからには、どんな合図がどんな意味になるかお互いに共通した理解がなければならない。ところが、言葉と同様に誤解も起こるし『言い間違い』もある。「ありがとう」の意味でクラクションを鳴らしたのに、相手はそれを本来の意味にとって不快に感じることも＿＿＿＿＿＿、軽く鳴らそうと思ったのに、うっかり力が入ってしまって「ブーッ」と鳴らしてしまうことも＿＿＿＿＿＿。さらに面白いことには、この合図にも『方言』があるという。この点でも言葉によるコミュニケーションと同じという＿＿＿＿＿＿。

このような合図は必ずしもしなければいけないという_____が、上手に使えば快適に運転ができるし、車の流れもスムーズになる_____である。

『ニューアプローチ中級日本語［基礎編］改訂版』(AGP アジア語文出版) p.200 を利用して作成

練習 I. 素材 E（pp.54-55）の文章を読んだ後、内容を思い出しながら（　）に入ることばを考えてください。そして、もとの文章と比べてください。

日本では自動車の運転免許をとろうと思う人はたいてい自動車運転教習所に（　　　）。そこで交通規則や運転の技術を教わるのだが、そこを卒業したからといって、それですべての学習が終わるわけではない。実際に街に出て走りながら身に（　　　）技術というものもある。運転手同士のコミュニケーションもその一つである。

コミュニケーションといっても、わざわざ運転手が窓を開けて大きな声で言葉を（　　　）わけではない。音と光の合図で会話をするのである。例えば、狭い道などではヘッドライトを1、2回点滅させて対向車に道を（　　　）、譲ってもらった方は（　　　）時にクラクションを軽く鳴らす。また、（　　　）に隣りの車線に割り込んだ時には後ろの車に対してハザードランプを数回点滅する。この3つは教習所で勉強する本来の使い方とは違うものである。しかし、実際にはこのように音と光を使って、「どうぞ」「ありがとう」「すみません」という気持ちを（　　　）いるわけである。

コミュニケーションをするからには、どんな合図がどんな意味になるかお互いに（　　　）した理解がなければならない。ところが、言葉と同様に（　　　）も起こるし『言い間違い』もある。「ありがとう」の意味でクラクションを鳴らしたのに、相手はそれを本来の意味にとって（　　　）に感じることもあるし、軽く鳴らそうと思ったのに、（　　　）力が入ってしまって「ブーッ」と鳴らしてしまうこともある。さらに面白いことには、この合図にも『方言』があるという。この点でも言葉によるコミュニケーションと同じというわけだ。

このような合図は必ずしもしなければいけないというわけではないが、上手に使えば快適に運転ができるし、車の流れも（　　　）になるはずである。

『ニューアプローチ中級日本語［基礎編］改訂版』(AGP アジア語文出版) p.200 を利用して作成

テキストの空白埋めは、文章全体の意味を考えながら言語形式に注目させることができます。アウトプットを求めることにより、学習者に自分の日本語の不完全な点への気づきをうながしていると言えます。

考えましょう

【質問 47】
「譲る」ということばについて考えてみましょう。練習Ⅰでは、「道を譲る」という例でしたが、「譲る」はほかにどのような名詞といっしょに使えるかを考えて、図の〇の中に書いてください。そして、このような練習は、「譲る」ということばの理解にどのように役に立つか、考えてください。

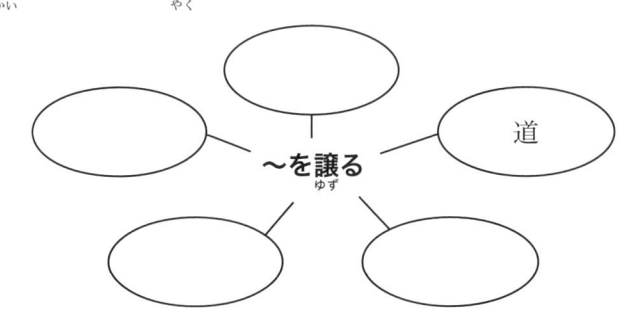

〜を譲る
道

テキストの空白埋めの練習は、限られた文脈の中で語彙や文型・表現の使い方を確認するものです。私たちが新しい語彙や文型・表現を習得するためには、一度だけではなく、いろいろな文脈でくり返しその語彙や文型・表現に触れることが必要になります。たとえば、「譲る」ということばであれば、「道を譲る」だけではなく「席を譲る」「家を譲る」など、他の文脈での使用例に触れることによって、意味・使い方の理解が深まるのです。そこで、文型・表現であれば先に紹介した文作成練習（練習 D、E、F）を、語彙であれば「G. 語彙練習（空白埋め）」（p.57）のような短い文を使った練習を組み合わせると、より効果的です。

◆テキストの復元

この練習では、理解したテキスト（読解文、聴解文）の内容を思い出して、もとの文章の通りに復元させます。

考えましょう

【質問 48】
次の練習Jでは、どのような能力を養うことができると思いますか。

練習J. 次の1～4の手順で、もとの文章を復元してください。

---

1. 教師が、読解文の一部（下記参照）を音読し、学習者に聞かせる。学習者はメモを取りながら聞く。
   「日本では自動車の運転免許をとろうと思う人はたいてい自動車運転教習所に通う。そこで交通規則や運転の技術を教わるのだが、そこを卒業したからといって、それですべての学習が終わるわけではない。実際に街に出て走りながら身につける技術というものもある。運転手同士のコミュニケーションもその1つである。」
2. 学習者はペアまたはグループで、お互いにメモを見て協力しながら、もとの文章をなるべく正確に復元して書く。
3. 学習者は復元した文章をもとの文章と比べて、確認、修正を行う。
4. 教師は、必要であれば文法項目に関する説明を加える。

＊同じような構造の文章（A）～（C）を使って、練習を続けてもよい。

テキスト

（A）料理を習おうとする人は、料理学校に通う。そこで、料理の基本を身につけるのだが、そこを出たからといって、すべての学習が終わるわけではない。実際に料理をしながら身につける技術というのもある。おいしい手抜き料理を作るというのもその1つだ。

（B）何か問題があると、規則を作る。そこでは、いろいろなことを細かく定めて禁止する。しかし、規則に違反していないからといって何をやってもよいというわけではない。守らなければならないマナーというものもある。電車の中での化粧もその1つである。

（C）おいしい店を見つけようとする人は、グルメ雑誌を読む。そこで、人気のある店について情報を得るのだが、そこで紹介された店だからといって、おいしいとは限らない。高いだけでたいしたことのない店もある。さくらホテルの中の日本食レストランもその1つである。

学習者は意味を理解したあとで文章を復元するので、復元する過程では、言語形式に注目します。この練習もテキストの空白埋めと同様、アウトプットを求めるこ

とによって学習者に自分の不完全な日本語への気づきをうながしたものです。次の「学習者が作った文章と訂正例」からわかるように、「卒業したからといって、それですべての学習が終わるわけではない」などの複雑な表現に気づかせることができます。また、この練習では、同じような構造の文章をいくつか与えることによって、学習者に談話の流れを意識させることもできます。

学習者が作った文章と訂正例

```
日本では、自動車の運転免許を とろうと思う 人は、たいてい 自動車運転教習所に通う。
そこで、交通規則や運転の技術を 教わるのだ が、そこを卒業 したからといって、学習 が
終わるわけではない。街に出 ながら 身につける技術というものがある。 それですべての
運転手同士のコミュニケーションもその１つ である。 実際に
```

文章の復元は、ディクテーションから行うのが一般的な方法ですが、読解活動の後、あらかじめキーワードを提示して行うこともできます。次の練習Kは、その例です。

練習K. 素材E（pp.54-55）の文章を読んだ後、内容を思い出しながら、次の単語を使って、もとの文章と同じ文章を作ってください。ペアやグループで協力してもよいです。後で、もとの文章と比べて、違っているところを直しましょう。

〔自動車　運転免許　自動車運転教習所　交通規則　運転の技術　卒業　学習　街　身につける　運転手同士　コミュニケーション〕

> **コラム～ディクトグロス～**
>
> 【質問48】練習Jで行ったようなテキストの復元はディクトグロス(dictogloss)と呼ばれ、意味を重視しながら言語形式への注意をうながす学習法です。ディクトグロスは、まったくはじめて聞く文章を聞き取り、内容を復元するリスニング型の活動として利用することもできますが、テキストを読んだ後に行うこともできます。なお、ディクトグロスでは、構造のはっきりした、まとまりのある文章を用いることが大切です。

◆ 要約

要約も、意味を重視しながら、言語形式に注目させられる活動の1つです。ここでは、語彙に注目して行う要約の方法を紹介します。

考えましょう

【質問49】

次の要約練習（練習L）は、学習者にとって、語彙学習の面ではどのような点が効果的だと思いますか。また、コミュニケーション活動として見た場合は、どのような意味があると思いますか。

練習L． 素材E（pp.54-55）の文章を読んだ後、後作業として、第2段落「コミュニケーションといっても、～伝え合っているわけである。」の部分を、次の手順で要約してください。

1. テキストを見ながら、キーワードだと思うことばを書く。そして、数人のグループでお互いに見せ合う。関係のあることばを線で結んだり、グループに分けたりする。
2. 1で出したことばを利用して、テキストの内容のメモを作る。
3. 2のメモを見ながら、内容を口頭で要約する。ペアやグループで聞き合って、よくわからない点をコメントし合う。その後、テキストを見て、自分が上手に言えなかった表現を確認する。
4. もう一度、2のメモを見ながら、内容を口頭で要約して、ペアやグループで聞き合う。そして、前よりもうまく要約できるようになったか、お互いに評価し合う。
5. 最後に、要約したことに、自分の経験や意見（コメント）を付け加える。

手順1と2では、語彙を相互に関係付けて、整理しようとしています。このように、語彙をばらばらに記憶するのではなく関連付けると、覚えていくうえでより効果的です。3では、自分が使えない表現に気づくことができます。学習者同士がお互いの発話を聞き合うことによって、学び合いや発見があります。4で要約文の修正・評価は教師によって行われるのではなく、学習者同士で行われています。さらに、5では、読んでわかったこと（要約）に自分の経験やコメントを付け加えてほかの人に話すという実際のコミュニケーションに一歩近づいたものになっています。

　つまり、この活動は、後作業として「文章中の語彙や表現、文章構造などを使って言語の学習をする」ことと「感想や意見を話したり書いたりする」こと（コミュニケーション活動）を同時に行ったものとも言えます。

コラム〜理解語彙と使用語彙〜

　「中級」から「上級」へとレベルが進み教材が生素材に近づくと、インプットで理解した語彙をすべて使えるようになることが期待されるわけではありません。つまり、実際に使える「使用語彙」と、産出はできないが理解はできる「理解語彙」に分けられるようになります。そして、結果としては「使用語彙」よりも「理解語彙」のほうが多くなります。これは、母語話者にも共通します。ですから、語彙を実際に使う練習をするときの焦点は「理解語彙」ではなく「使用語彙」になることに注意してください。

　「使用語彙」は「理解語彙」の延長線上にあるものですが、どれが「使用語彙」でどれが「理解語彙」になるかは、学習者のレベルやニーズによって異なりますから、教師の判断が必要です。

整理しましょう

　「読む」「聞く」というインプット活動の後作業の中で、言語形式（語彙や文型・表現）への気づきをうながし、使えるようになるための方法を考えました。これらの方法の中から必要なものを授業に取り入れてみてください。

3-6. アウトプット中心の活動

多技能統合型の授業の流れの中で、「話す」「書く」というアウトプット中心の活動の進め方を考えます。

(1)「話す」活動

＜対話型の活動＞

2人以上でのやり取りのある「話す」活動には、ロールプレイ、インタビュー、ディスカッション、ディベートなど、いろいろな活動が考えられますが、ここではロールプレイを使った会話練習をあつかいます。ほかの活動については、第4章で授業例を通して紹介します。

◆ロールプレイ

考えましょう

【質問50】
「目上の人の気分を害さないように効果的に交渉できる」という中級から上級の話すこと（やり取り）の活動として、「部長に夏季休暇の日程の変更を頼む」というロールプレイを実施します。ロールカードは次のとおりです。

ロールカード①　会社員

状況・課題：もうすぐ夏休みです。会社では、夏休みのスケジュールは既に決められていて、あなたは8月に1週間夏休みを取ることになっています。ところが、7月半ばごろに田舎の両親が遊びにくることになったので、8月ではなく7月に1週間夏休みをとりたいと思います。上司に休暇の変更を申し出てください。

ロールカード②　会社の上司（部長）

状況・課題：夏休みについての部下の申し出を聞いて、どのようにするか判断してください。

---

① みなさんがこのロールプレイを授業に取り入れるとき、次のロールプレイの流れA、ロールプレイの流れBのどちらの方法でしますか。

ロールプレイの流れA

1. **ロールカードの提示**：役割、状況・課題を確認する。
2. **表現の練習**：必要な表現や語彙を導入して、口頭練習する。
3. **モデル会話の提示**：会話例を聞いて、談話の流れを確認し、覚える。
4. **ロールプレイの実施**：ペアでロールプレイをした後、全員の前で発表し、不十分な点をフィードバックする。

ロールプレイの流れB

1. **ロールカードの提示**：役割、状況・課題を確認する。
2. **ロールプレイの実施①**：学習者がペアになって、自由にロールプレイする。
3. **ロールプレイのふり返り**：ペアで、2のロールプレイをふり返って、自分の言いたいことがうまく言えたかどうか、どんなところが難しかったか、学習者自身で問題点を見つける。
4. **モデル会話の提示**：会話例を聞いて、問題点の答えを見つける。また、どんな談話構成になっていたか、どんな表現を利用していたかなど、自分の会話と違う点を考える。
5. **表現の練習**：4で気づいた点を中心にペアで練習する。
6. **ロールプレイの実施②**：もう一度、学習者がロールプレイをする。そして、5で練習したことが使えるようになったかどうか、2のロールプレイでの問題点が改善されたかどうかを学習者自身が確認する。

② ロールプレイの流れAとロールプレイの流れBでは、どのような点が違いますか。次の観点から比較してください。

観点	ロールプレイA	ロールプレイB
表現（語彙や文型）の導入・練習		
会話モデルの利用法		
学習者の気づき		

■③ ロールプレイの流れAのやり方では、養われない力は何だと思いますか。

　ロールプレイの流れAは、会話に必要な表現をまず練習し、それを使って、モデルにそってロールプレイをやらせる方法です。これは、まだ語彙や文型が不足している初級初期の学習者を対象にした場合にはよく使われます。

　それに対して、ロールプレイの流れBでは、はじめに学習者に自分の力でできるロールプレイをさせることによって、学習者自身に自分ができない点に気づかせようとしています。言いたいことと言えることのギャップを感じさせ、学習者の知りたいという動機を高めます。その後で、会話例を聞かせますから、学習者は、自分の不十分だった点や、自分が考えた会話との違いに注意を払いながらモデル会話を聞くことになり、これまで知らなかったり、使わなかったりした言語形式に気づくことができます。そして、できなかった表現を練習した後で、もう一度、ロールプレイをやってみることによって、新しい言語形式が使えるようになったかどうかを学習者自身で確かめてみることができるのです。さらに、1人ではなく学習者同士協力し合って行うことによって、自分だけでは気づかない点についても注意が向くようになります。

　既に中級段階の学習者の場合、これまでに身につけた運用力を使って、課題をある程度達成することができますから、不足している点を意識化させて、発見させるこのやり方は効果的だと言えるでしょう。

- 私たちの会話、これでいいのかなあ

- 実際の会話を聞いて、どう言えばよいか確かめよう

- 私が言ったのとは、ちょっと違うところがある
  こう言えばいいんだ!!

- 新しい表現を練習してみよう

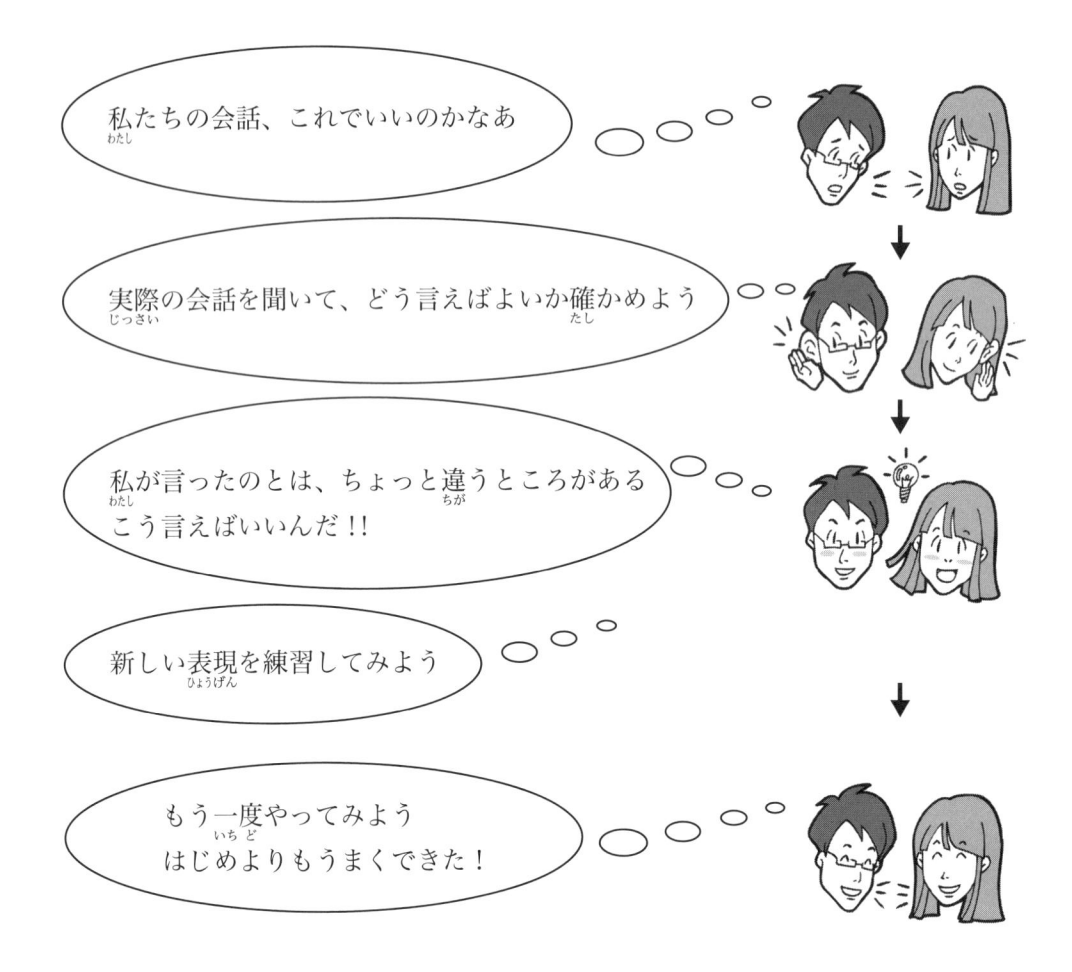

- もう一度やってみよう
  はじめよりもうまくできた！

　会話は、話し手と聞き手のやり取りによって展開していくものです。「会話例を覚える」というやり方だけでは、相手の予想外の反応に対応する力や、場面や相手に応じた交渉力は身に付きません。また、「中級」以降は、会話例が長くなり表現も複雑になるので「会話例を覚える」というやり方は現実的ではありません。

コラム〜タスク先行型のロールプレイ〜

　ロールプレイの流れBのように、まず、課題（タスク）を与え、学習者にタスクをさせてから、必要に応じて言語形式を導入するロールプレイのやり方を「タスク先行型ロールプレイ」と呼びます。これは、はじめに必要な言語形式を練習してから、その後でロールプレイ（タスク）をさせるというやり方（文型先行型、ロールプレイの流れA）と逆の流れです。タスク先行型のロールプレイは、会話の目的と伝えたい内容がまずあって、必要な言語形式を選んでいくという発話行為のプロセスに合ったものだと言えます。

◆誤用訂正

考えましょう

【質問51】
タスク先行型のロールプレイ活動を行ったところ、最後のロールプレイの中で、学習者がいくつかの間違いをしていました。どのように指導すればよいですか。

　運用段階でのうっかりした言い間違い（ミステイク）であれば、会話の録音を学習者に聞かせて注意をうながせば自己訂正ができますが、**知識としての誤用（エラー：不正確な知識による間違い）**の場合は学習者が自己訂正できるとは限りません。この場合は、教師が学習者に考えるためのヒントを与えたり、学習者同士で発話を観察し合ったりして、間違いを発見させるようにしましょう。
　また、意味の理解やコミュニケーションの支障になる誤り（**グローバル・エラー**）は訂正が必要ですが、意味理解やコミュニケーションに支障がない誤り（**ローカル・エラー**）の場合は、コミュニケーション重視の立場では必ずしもすべて訂正する必要がないという考え方もあります。
　いずれのまちがいの場合も、学習者は誤用を通して、知識を修正したり、運用力を高めたりしていくわけですから、教師も学習者も誤用を恐れない態度が必要です。

＜独話型の活動＞
　1人でまとまった話をする独話型の活動としては発表（プレゼンテーション）やスピーチなどが考えられます。ここでは、発表やスピーチの前段階として、まとまりのある話ができるようになるために、ストーリーを話す活動、経験談を話す活動の進め方を紹介します。そして、その中で、学習者同士が協力し合いながら、お互いにそれぞれの発話の完成度を高めていく方法について考えます。

◆ストーリーを話す

考えましょう

【質問 52】

次のストーリーを話す活動（練習 M）について、考えてください。
① 手順1では、辞書を使わせる以外にどのような方法があるでしょうか。
② 2の目的は何だと思いますか。
③ 学習者同士で何回もストーリーを聞き合うことには、どのような効果があるでしょうか。

練習 M. 6枚の絵を使って、次の手順でストーリーを話す練習をします。

1. 学習者を数人のグループにして、それぞれのグループに6枚の絵（p.97）を分け与える。1人の学習者が、1〜2枚の絵を担当する。学習者は自分が担当した絵について、グループのメンバーに説明する準備をする。必要なら辞書を使う。

2. グループの中で、お互いに絵は見せないで自分の絵について説明し合う。説明を聞いて、わからない点は、お互いに質問し合う。そして、お互いの絵の説明を聞いて、グループで協力して、全体がどんなストーリーか考える。そして、絵をグループで考えたストーリーの順番に協力して並べる。

3. 6枚の絵に描かれていることが自分に起こったこととして、一連のストーリーになるように説明する。グループの半分は「女の人」、半分は「駅員」の立場で、話すようにする。その後で、ストーリーをグループで発表する。そして、発表したストーリーについてグループで比較して話し合い、修正したり取り入れたりしたほうがよい点を見つける。

4. もう一度、はじめは自分で使わなかった表現を入れてストーリーを語り、同じグループの人に聞いてもらう。前のストーリーと比べてよくなった点を評価し合う。

5. 各グループから1人、代表の人がクラスの前でストーリーを語る。それを、聞いて評価し合う。最後に、教師がモデルストーリーを聞かせて、自分たちのストーリーと異なっている点を考えさせてもよい。

『上級話者への道 きちんと伝える技術と表現』(スリーエーネットワーク、イラスト：髙村郁子)

資料編 pp.18-20 より

　この活動では、学習者同士の活動が多く取り入れられています。まず、2では、学習者間に情報の差（インフォメーション・ギャップ）を作ることによって、イラストの場面について詳細にわかりやすく説明する力を養成しようとしています。協力して1つのストーリーを完成するのは、ジグソー・リーディングに似ています。
　また、3で、学習者同士で表現方法が異なるストーリーの例を聞き合うことは、お互いに多くのインプットを得ることにつながります。そして、そのインプットの中から、学習者同士で新しい表現に気づき、学び合うことができます。4では、自分でストーリーを修正するとともに、お互いのストーリーを評価する力を養おうとしています。

コラム〜ピア活動〜

　「ピア」とは「仲間」という意味で、「ピア活動」とは学習者同士が助け合って対話したり質問し合ったりすることによって、自分たちで答を見つけていくという活動です。

　練習A、B、Cで紹介したジグソー・リーディングやジグソー・リスニングもピア活動の1つです。

　ストーリーを話す活動（練習M）では、ストーリーを作る過程で、ピアで情報を交換し合ったり、作ったストーリーを比べ合って自分と同じ点や違う点を見つけたり、わからない点について質問し合ったりしました。そして、推敲されたストーリーを聞き合って評価し合いました。学習者は、学習者同士の主体的な学び合いから、教師に一方的に修正されるよりも多くのことを学びます。特に、内容面では、学習者同士でフィードバックを行うほうが効果的だと言われています。

考えましょう

【質問53】

　ストーリーを話す活動（練習M）に、3「発表したストーリーについてグループで比較して話し合い、修正したり取り入れたりしたほうがよい点を見つける」とあります。では、そのために、どのように話し合いを進めればよいのか、具体的な手順を考えてください。

　ピア活動では、文法や語彙の間違いを指摘し合うのではなく、内容に焦点を当てることが大切です。また、すぐにお互いに批判し合うのではなく、まず、お互いに作ったものを理解し合い受け入れようとすると、お互いの信頼関係が生まれ、活動がスムーズに行えます。たとえば、次のような手順で話し合いをしてはどうでしょうか。

1. ストーリーを聞いて、おもしろかったところを言う。
2. ストーリーを聞いて、自分のストーリーと似ているところを言う。
3. ストーリーを聞いて、自分のストーリーと違っているところを言う。
4. 最後に、よくわからなかったところを言う。

『ピア・ラーニング入門』(ひつじ書房) を参考に作成

【質問 54】
ストーリーを話す活動 (練習 M) の 4 と 5 で、ストーリーを評価するとき、どのような観点から評価すればよいでしょうか。たとえば、発音、文法など、例をあげてみてください。

　ストーリーを話す活動では、新聞などに載っている 4 コマ漫画を利用することも可能です。また、テレビドラマや映画や小説のストーリーを話す活動へと発展させることもできます。その場合、同じドラマや小説についてストーリーを話させてもよいですし、異なるドラマや小説について話させてもよいです。同じドラマや小説を利用した活動では、学習者同士で表現方法が異なるストーリーを聞き合うことができるので、お互いのストーリーがインプットとなり表現方法を学び合うことができます。また、異なるドラマや小説を題材にした活動であれば、学習者同士にインフォメーション・ギャップがあるので、相手にわかりやすく話すにはどうすればよいかを意識することができます。

◆経験談を話す
　経験談は、まとまりのある内容について話すという点でストーリーを話す活動と似ていますが、自分のことについて話すという点が違っています。

考えましょう

【質問 55】
友だちに、最近あったおもしろい話や困った話をするという活動を実施します。そのために、「活動の流れ A」「活動の流れ B」の 2 つの方法を考えました。学習者がよりよい経験談が話せるようになるためにどのような工夫をしているか、次の活動の流れ A と B を比べて、違いを考えてください。

活動の流れ A

1. グループになって、最近あったおもしろい話や困った話を順番にする。

2. お互いに話を聞いて、おもしろいと思った点をほめ合ったり、わからない点を質問し合ったりするピア活動を取り入れる。

3. 仲間からのコメントを参考に、自分で自分の経験談を改善する。

4. グループでもう一度発表する。(できれば、新しいグループを作る)
クラスの人数が少なければ、クラス全体で発表してもよい。

5. 仲間同士で評価し合う。できれば、録音をとり、後で自己評価する。
教師もフィードバックを行う。

活動の流れ B

1. グループになって、最近あったおもしろい話や困った話を順番にする。

2. 経験談のモデルを聞く(教師が自分の経験談を聞かせてもよい)。1回目に聞くときは、内容の理解を中心にする。2回目に聞くときは、談話の流れや表現に注目させる。そして、談話構成で注意すべき点は何か、どのような表現を取り入れればよいか、考えさせる。

3. 2で考えたことを参考に、自分で自分の経験談を改善する。

4. グループでもう一度発表する(できれば、新しいグループを作る)。
クラスの人数が少なければ、クラス全体で発表してもよい。

5. 仲間同士で評価し合う。できれば、録音をとり、後で自己評価する。
教師もフィードバックを行う。

どちらの場合も、まず、手順1で学習者に自分ができる力で経験談を語らせることによって、自分の日本語の不完全な点に気づかせようとしています。そして、2でどこをどのように改善すればよいかを知り、3で改善し、4でよりよい経験談を発表します。

活動の流れAとBが違っているのは、2の方法です。活動の流れAでは、学習者同士が質問し合うことによって、どこをどう改善すべきかに気づかせようとしています。一方、活動の流れBでは、経験談のモデルを聞かせて自分の経験談との違いを考えさせることによって改善点に気づかせようとしています。授業の流れBは、モデルを利用しているという点で、タスク先行型のロールプレイに似ているとも言えます。

学習者がある程度、自力でもまとまった話ができるレベルであれば、授業の流れAのやり方が効果的だと思われます。一方、学習者がまとまりのある話をする活動に慣れていない場合や、学習者に気づかせたい言語形式がはっきりしている場合は、授業の流れBが効果的でしょう。

◆スピーチやプレゼンテーションをする

　スピーチやプレゼンテーションは、何人かの人の前で話すことが前提になります。フォーマルな話し方が必要とされることが多いです。また、少し長いものの場合は、あらかじめ内容のメモや原稿を準備することが一般的です。活動の流れを整理すると、図8のようになります。

　準備活動では、スピーチやプレゼンテーションなどの経験があまりない学習者の場合、はじめによいスピーチやプレゼンテーションの例を聞かせるとよいです。そして、内容について理解させた後、スピーチの種類（意見を述べるタイプのもの、情報を提供するタイプのものなど）、構成、必要な表現などについて分析させるようにします(*4)。

　スピーチ、プレゼンテーションの作成は1人で行うこともできますが、作成段階で、ペアやグループで発表して聞き合い、よかったところやおもしろかったところ、よくわからなかったところなどについてコメントし合うと、直したほうがよいところに気づくことができます。また、発表の練習も仲間同士で協力して行うと、話し方（発音やアクセント、声の大きさやスピード）や態度について、観察し合うことができ、1人で行うより効果的です。

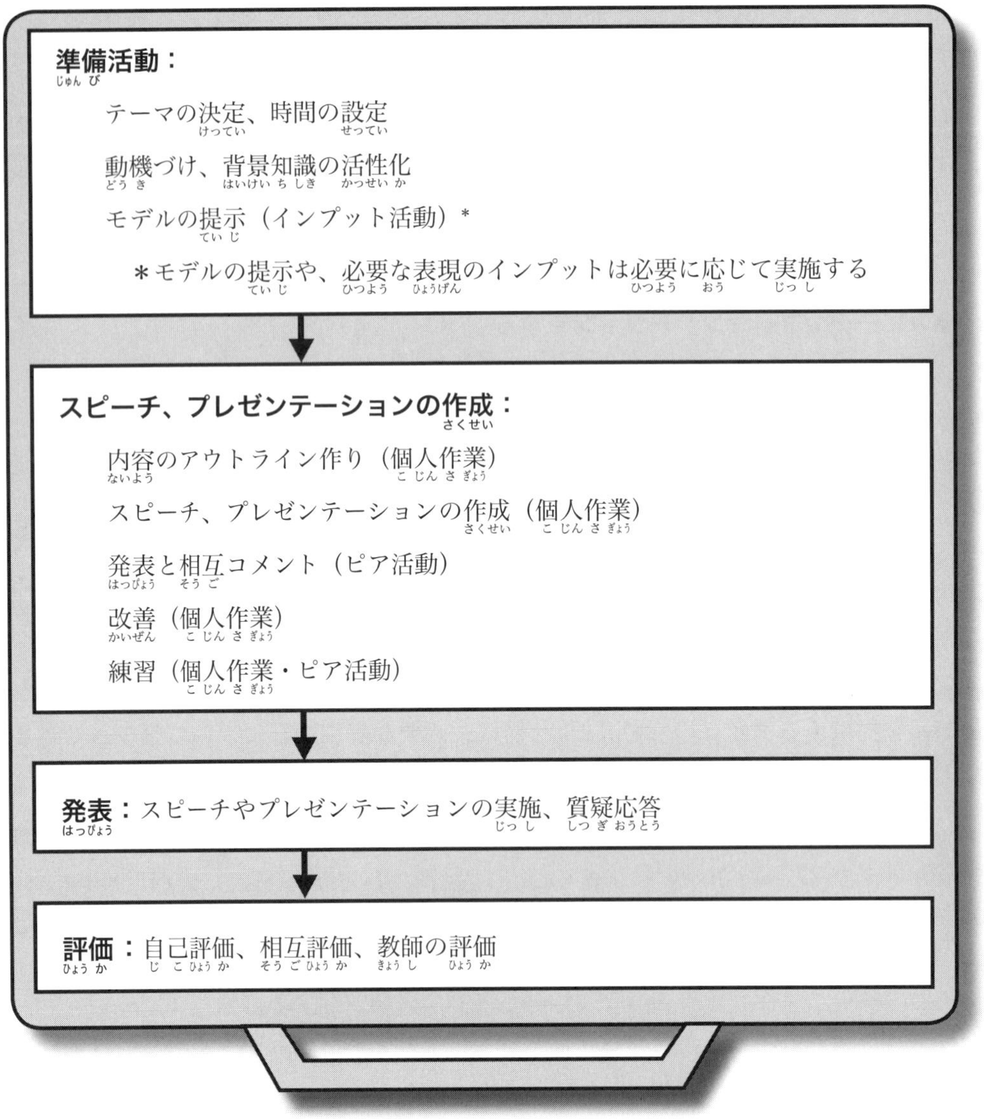

```
準備活動：
    テーマの決定、時間の設定
    動機づけ、背景知識の活性化
    モデルの提示（インプット活動）*
        *モデルの提示や、必要な表現のインプットは必要に応じて実施する
```

↓

```
スピーチ、プレゼンテーションの作成：
    内容のアウトライン作り（個人作業）
    スピーチ、プレゼンテーションの作成（個人作業）
    発表と相互コメント（ピア活動）
    改善（個人作業）
    練習（個人作業・ピア活動）
```

↓

```
発表：スピーチやプレゼンテーションの実施、質疑応答
```

↓

```
評価：自己評価、相互評価、教師の評価
```

図8　スピーチやプレゼンテーションの流れ

＜流暢さを養成する話す活動＞

流暢に話せるようになることは「中級」「上級」の1つの大きな目標でもありますが、そのためには、アウトプット活動をくり返して行う必要があります。練習を計画するときは、練習が次のような条件を満たしているようにします。

1. 学習者にとってやさしい活動である。つまり、認知的に負担のかかる活動ではない。これは、話すために必要な言語形式（語彙、文型・表現）については、既に学習がすんでいることを意味する。
2. 学習者が、くり返し話す中で、だんだん速さを上げて話せる活動である。
3. 学習者が楽しんで行える活動である。

次に、教室活動例を紹介します。

◆相手を変えて話そう 4/3/2
あるトピックについて話すとき、4分、3分、2分という時間制限を設け、だんだん時間を短くしていって話す活動です。

考えましょう

【質問 56】
次の練習は、ほかにどのような話題で行うことができるでしょうか。

練習 N. ペアになって、「エコライフ」（環境問題に配慮した生活）についてあなたがいつも気をつけていることを4分間で話します。（1人が話し終わったら、話し手と聞き手を交代します。）次に、ペアを変えて同じ内容について3分間で話します。最後に、もう一度ペアを変えて、2分で同じ内容をまとめて話します。

「相手を変えて話そう 4/3/2」は、3回ともペアが異なるので、話し手と聞き手の間にインフォメーション・ギャップがあり、意味のあるコミュニケーション活動になります。その中で、だんだん速さを上げて、くり返し練習することができます。4分、3分、2分と時間がだんだん短くなる中で、同じ内容を伝えなければならないため、無駄な発話を省こうとし、流暢さが高まります。
　ここでは、学習者にとって難しくない身近な話題を取り上げて、緊張することなく楽しみながら話せるようにすることが大切です。

◆録音
自分の発話を録音して聞き直し、自己訂正していく活動です。

考えましょう

【質問 57】
次の練習Oは、流暢さを高めるうえでどのように役に立つと思いますか。特に、学習者のどのような能力を高めようとしているかという観点から考えてみてください。

練習O. 自己紹介や短いスピーチなどを録音します。そして、録音した自分の音声を聞きながら、改善したほうがよい点を1つ決めます。次に、その点に注意して、もう一度話し、録音します。満足できるようになるまで、これを何度かくり返します。

　流暢さを養成するためには、くり返しが重要ですが、その際、自分で改善点を見つけ目標を明らかにして、自己訂正を行っていくことが大切です。「録音」の活動は、それを実現したものと言えます。また、教室外で1人でもできるのもよい点です。
　自己紹介や短いスピーチ以外にも、自分の経験やできごとを話したり、写真の風景などを描写したり、4コマ漫画を説明したりするのもよい練習になります。いずれの場合も、学習者にとって難しすぎず、興味が持てる素材を学習者自身に見つけさせるとよいでしょう。

◆質問と答え
　ある文章を読んだり聞いたりした後、教師が準備した質問を見て学習者同士で質問し合います。1人が質問して、1人が答えるようにし、一通り終わったら、役割を交代します。質問に対して答えが流暢に言えるようになるまで練習します。質問は、答えやすい比較的簡単なものがよいです。

考えましょう

【質問58】
次の練習Pを見てください。この練習を読解の授業の中に取り入れるとしたら、前作業、本作業、後作業のどの段階で実施できるでしょうか。

練習P. ペアになって、素材E（pp.54-55）の文章の内容について、1人が質問をし、1人が答えましょう。すばやく答えられるようになるまで練習します。できるようになったら、役割を交代します。

質問例
1. 日本では、運転免許をとるためには、どこに通いますか。
2. 実際に街に出て運転して身につける技術とは、どのようなものですか。
3. 運転手同士は、何を使って会話をしますか。
4. 狭い道で対向車に道を譲るときは、どのような合図をしますか。

> 5. 道を譲ってもらったときは、どのような合図をしますか。
> 6. 無理にとなりの車線に割り込んだときは、どのような合図をしますか。
> 7. ヘッドライトやクラクションやハザードランプは、どのような気持ちを伝えることができますか。

練習Pは、読解文の内容についての質問と答えですが、お互いに知っていることについて質問し合うこともできます。たとえば「教育制度」「趣味・娯楽」「私の街」「健康法」などの話題が考えられます。

> 例)「教育制度」についての質問例
> 1. 何才で小学校に入学しますか。
> 2. 小学校、中学校は何年間ですか？
> 3. 義務教育期間がありますか。

流暢さを高める活動は、読解・聴解などのほかの活動と関連付けて行うとより効果的です。なぜならば、読解や聴解などの活動がその後で行う「流暢さを高める活動」の準備活動の役割を果たすからです。そのため、「流暢さを高める活動」が学習者にとって「認知的に負担」のかからないやさしい活動になります。

たとえば、「質問と答え」は、読んだ後にも聞いた後にも取り入れることができます。「相手を変えて話そう4/3/2」や「録音」の活動は、独話型のいろいろな活動の中に取り入れることができます。

流暢さを養成する活動は、「中級」「上級」の学習者にとって、大切な活動の１つです。短い時間でよいので、ときどき実施するようにしてみてください。

(2)「書く」活動

「中級」以上の「書く」活動では、身近な話題だけでなく、より一般的な話題について内容的にまとまりがあるものを、段落構成を考えながら書くことが中心になります。形式としては、メールや手紙、ブログ、レポート、エッセイや作文、スピーチなどの発表原稿、プレゼンテーション用の発表資料などが考えられます。また、場面や相手によってことばが使い分けられるようになることも大切です。

＜プロセス重視の「書く」活動＞

「中級」以上では、モデルを模倣して書くだけではなく、学習者自身の創造的な活動としての「書き」を取り入れていくことが重要になります。ここでは、クラス

でブログを作りそこに記事を書くという活動を例に、「書く」という学習者のプロセスを重視した活動の進め方を紹介します。

考えましょう

【質問59】

次の練習Qは、「私の大切な人」というテーマで原稿を書き、クラスでブログを作って公開するというものです。手順を読んで、次の点について考えてください。

① 手順3の「作成した原稿を学習者同士で読み合ってコメントし合う」というピア活動のとき、教師は、どのようなコメントを、どのような順番で、学習者同士でさせればよいと思いますか。
② 3のピア活動の効果として、どのようなことが考えられますか。
③ 教師のフィードバックは、どの段階でどのように行えばいいと思いますか。

練習Q. 次の手順で、「私の大切な人」というテーマで原稿を書きます。

> **目標：** クラスの人に、自分の身近にいる大切な人について、どんな人か、自分にとってなぜ大切なのかがよくわかる紹介文を書くことができる。
>
> 1. **テーマの設定：** だれについて書くか決める。どんな人が考えられるか、どうしてかなど、クラスで自由に話し合ってもよい。
>
>   **目的の明確化：** クラスの人に自分のことを知ってもらうために書く。「どんな人か、なぜ大切か」をわかりやすく書く。
>
> 2. **内容の整理：** 書く内容を整理して、ポイントを絞り込む。（個人作業）
>
>   **アウトラインの作成：** どのような順番で何を書くか構成を決める。（個人作業）
>
> 3. **原稿の作成（下書き）と推敲**
>   - アウトラインにそって、原稿を作成する。（個人作業）
>   - 作成した原稿を学習者同士で読み合ってコメントし合う。（ピア活動）
>   - コメントをもとに、原稿を推敲する。（個人作業）
>
> 4. **清書**（個人作業）
>
> 5. **発表：** クラスでブログを作って、そこに各自が「私の大切な人」の紹介をのせ、お互いのものを読み合う。感想をブログに直接書き込んでもよい。ブログが使えない環境の場合は、クラスで文集を作ったり、掲示したりしてお互いに書いたものが読み合えるようにする。

「話す」活動と同様、作文のピア推敲活動でも、内容に焦点を当てることが大切です。また、お互いに書いたものをまず理解し合い、よいところを指摘し合ってから、お互いに助言し合うようにしましょう。
　ピア活動を取り入れると、「読み手」の存在を強く意識でき、次のような利点があります。

・相手からの質問に答えたり、相手に説明することによって、自分の考えを整理したり、深めたりすることができるようになる。
・相手から、多様な視点が提供される。
・相手の作文に対して質問したりコメントしたりすることによって、批判的な読みができるようになる。

　そして、ピア活動を経験していくうちに、ピア活動を行わないときでも、「読み手」に配慮したコミュニケーション活動としての「書き」ができるようになっていきます。

【質問60】
練習Qの2「アウトラインの作成：どのような順番で何を書くか構成を決める」の段階でピア活動を取り入れるとしたら、どのようにすればよいですか。学習者同士でどのようなことを、どのような順番で話し合えばよいか考えてください。

◆「書く」授業の流れ
　「書く」活動について、「まとめ」の活動である評価とふり返りまで入れて授業の流れを整理すると、図9のようになります。前作業の「書く内容を計画する」、本作業の「推敲する」には、ピア活動を取り入れることができます。

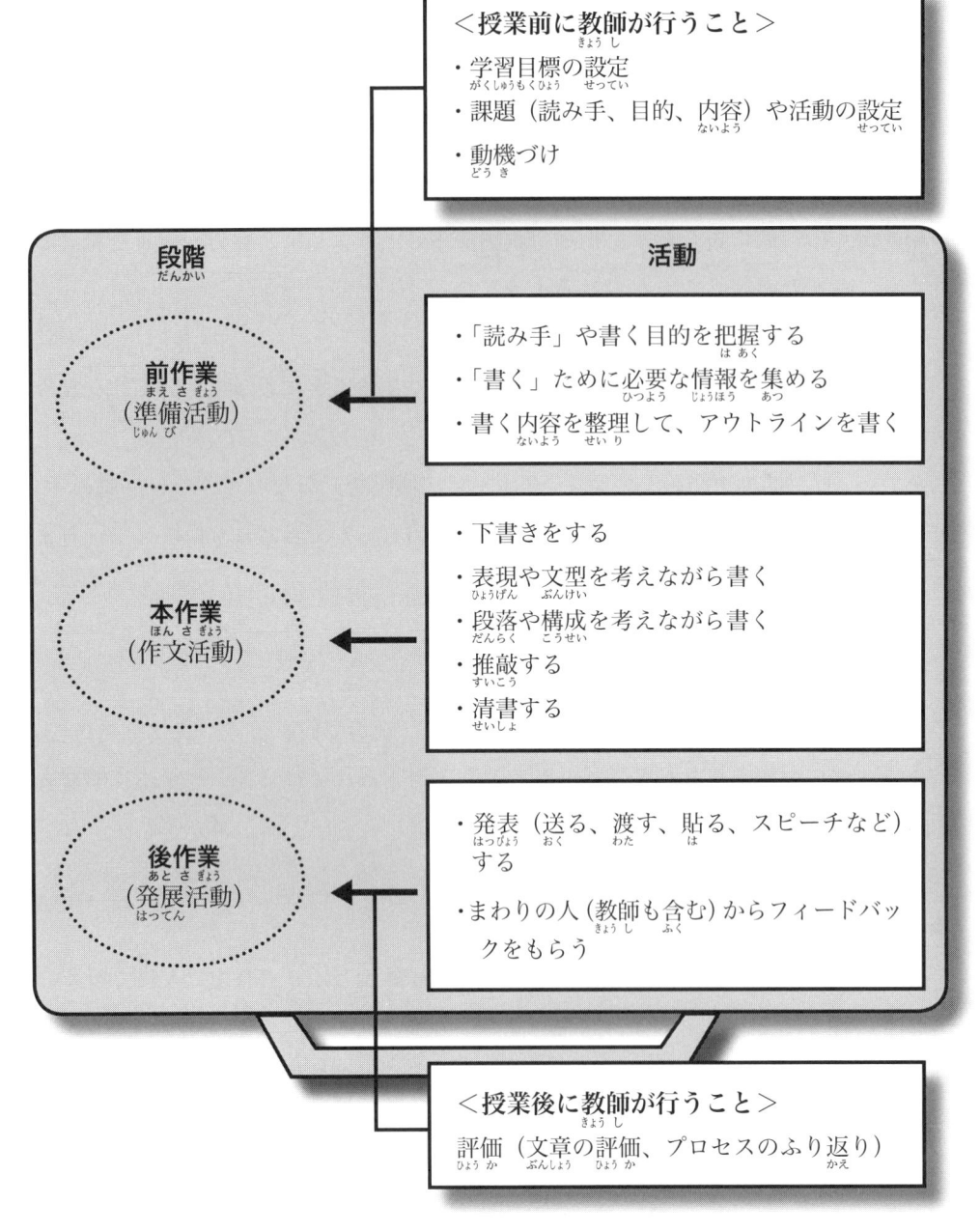

```
┌─────────────────────────────────────┐
│ <授業前に教師が行うこと>              │
│ ・学習目標の設定                      │
│ ・課題(読み手、目的、内容)や活動の設定 │
│ ・動機づけ                            │
└─────────────────────────────────────┘
```

段階	活動
前作業 (準備活動)	・「読み手」や書く目的を把握する ・「書く」ために必要な情報を集める ・書く内容を整理して、アウトラインを書く
本作業 (作文活動)	・下書きをする ・表現や文型を考えながら書く ・段落や構成を考えながら書く ・推敲する ・清書する
後作業 (発展活動)	・発表(送る、渡す、貼る、スピーチなど)する ・まわりの人(教師も含む)からフィードバックをもらう

```
┌─────────────────────────────────────┐
│ <授業後に教師が行うこと>              │
│ 評価(文章の評価、プロセスのふり返り)  │
└─────────────────────────────────────┘
```

本シリーズ第8巻「書くことを教える」p.47 を利用して作成

図9　作文の授業の流れ

<「書く」活動のいろいろ>

　「私の大切な人」のようなエッセイや作文などは、比較的形式が自由なものですが、ビジネス・レターやEメール、報告書(レポート)などのように、形式がある程度決まっているものもあります。ここでは、このようなものを取り上げて、どのように授業を計画すればよいかを考えてみましょう。

やってみましょう

【質問61】
次の課題を達成させるための、授業の流れを考えてみましょう。特に、モデルがある場合は、それをどのように使えばよいかを考えてください。

◆メールを書く

課題：お世話になった先生に推薦状を書いてもらうようメールで依頼してください。

例）あなたは、さくらビジネス日本語学校の卒業生です。今度、日系企業（さくら電機）の就職試験を受けることになりましたが、推薦状が必要です。そこで、お世話になった日本語学校の先生（山田先生）に推薦状を書いてもらうための依頼のメールを作成します。

モデル

To：HarukoYamada@×××.com
From：Namha-Birtol@△△△.com
Subject：推薦状作成のお願い

山田先生

さくらビジネス日本語学校の2010年卒業生のナムハ・ビルトルです。
ご無沙汰しておりますが、お元気でいらっしゃいますか。
先生には、上級ビジネス会話のクラスで大変お世話になりました。

今日は、お願いしたいことがあってメールを差し上げています。

実は、来月、さくら電機の就職試験を受けることになりました。試験は、筆記試験と面接試験がありますが、履歴書といっしょに推薦状を提出することが求められています。
そこで、お忙しいとは思いますが、推薦状を書いていただけないでしょうか。
もし、引き受けていただけるようであれば、くわしい情報をお送りいたします。

勝手なお願いで恐縮ですが、どうぞよろしくお願いいたします。

ナムハ・ビルトル

メールや手紙は、相手とのやり取りのあるコミュニケーションです。そのため、相手との関係、内容の困難さ（どのくらい相手に負担になるか）によって、ていねいさが変わります。推薦状の依頼は、本を貸してもらうなどの簡単な依頼とは違って、やや複雑な依頼になるので、ていねいさへの配慮がいっそう必要になります。

　課題が明確な場合は、まず、クラスや学習者同士で、どのような情報を入れればよいか、どのような構成にすればよいかについて話し合います。そして、各自で書いてみた後で、それからモデルと比べて違いに気づかせるというタスク先行型の方法がよいと思います。また、書き方が理解できるようになったら、課題例の作文で終わらせるのではなく、学習者1人1人が自分自身の課題について書いてみることが大切です。

◆報告書（レポート）を書く

課題：自分が興味のあるテーマについて調べたことを、レポートにまとめる。

例1）身近な問題についてテーマを選び、調べたことをまとめてください。下記のフォームを使って、A4用紙横書きで1～2枚にまとめてください。（中級）

例2）身近な問題についてテーマを選び、論じなさい。下記のフォームを使用して、A4用紙横書き3～4枚にまとめてください。（上級）

レポートフォーム

テーマ：「　　　　　　　　　　　　　　　　　」

氏名＿＿＿＿＿＿＿＿＿＿＿＿

1．背景：このテーマを選んだきっかけ

2．目的：特に取り上げたい問題、課題

3．方法：どのように調べたか

4．内容：具体的なデータや資料からわかったこと

5．全体のまとめ、考察

6．今後の課題：さらに知りたいこと

報告書（レポート）は、調べたこと（事実）を簡略にまとめて感想を加えるもの（中級レベル）から、研究課題をはっきり述べ、ときには仮説を立てて、具体例やデータを用いてそれについて論述し結論を導き出すもの（上級レベル）まで、いろいろあります。いずれにしても、論旨が明確で一貫していること、そのための全体の構成が適当であることが大切です。

　よい報告書が書けるようになるためには、よい報告書とはどのような条件を備えているのかをよく理解する必要があります。そのためには、まず、実際にモデルとなるよい報告書をクラスで読み、内容を整理してみます。その際、記述に一貫性があるか、よくない点があればそれはどうしてなのか、批判的に読むことが大切です。そして、内容について理解できたら、言語形式に注目し、必要な表現を学びます。

　このようなインプット中心の活動が終わった段階で、「アウトラインの作成→下書き→清書」という手順で報告書を作成します。書く過程では、ピア活動を取り入れるとよいでしょう。

　このような手順は、発表するための提示用資料を作成する場合などでも共通しています。

整理しましょう

　「話す」活動については、「対話型の活動」「独話型の活動」の2つに分けて活動の進め方を見ました。そして、「タスク先行型」のロールプレイ、ピア活動を取り入れる方法を考えました。さらに、「流暢さを高める活動」の具体例を見ました。

　「書く」活動では、ピア活動を取り入れた「書く」プロセスを重視した活動の流れについて見ました。そして、いろいろな書く活動の進め方を考えました。

　それぞれの活動の意味をよく考えて、自分の授業に応用していくようにしましょう。

3-7. 活動の評価とふり返り

授業を計画・実施するうえでは、学習の結果をどのように評価するかを考えておくことが必要です。ここでは、多技能統合型の授業モデルの中で、まとめとして、「活動の評価」と「活動のふり返り」をどう行うかについて考えます。

ふり返りましょう

【質問62】

これまでに自分が実施した授業を思い出して、次の点について考えてみましょう。
① 到達目標が達成されたかどうかを、だれが、どのように評価していますか。
② 活動の成果（たとえば作文、スピーチ、発表、ロールプレイなど）を、だれが、どのように評価していますか。
③ 学習者自身に自分の学習の過程をふり返らせたことがありますか。ふり返らせたことが「ある」人は、どのようにふり返らせましたか。

＜到達目標と活動の評価＞

評価には、学習者自身の自己評価、学習者同士の相互評価、教師による評価がありますが、評価の視点を共有しておくことが大切です。ここでは、到達目標や活動を評価するためのシートを紹介します。これらのシートを、授業やコースの最初に学習者に示すことによって、教師と学習者が目標を共有し、一貫した観点で評価を行うことができます。そして、学習者の学習の進み具合を把握し、さらには、それをもとに授業の内容や方法を見直すことができます。

◆到達目標の達成の確認

課題遂行を目標にした授業デザインでは、到達目標の達成を確認することが重要になります。そこで、まず、授業の前に、到達目標を見せて、それができるかどうかを自己評価させます。そして、授業の後で、できるようになったかどうかを再び評価させます。それによって、学習者自身が授業の目標を意識して学習に取り組むことができます。また、授業後の変化に自分自身で気づくことができます。

次は、【質問27】で考えた「環境問題」というトピックの授業デザイン（p.123）の自己評価チェックリストの例です。

自己評価チェックリストの例
話題「環境問題」

	授業の前				授業の後			
到達目標:「環境問題」に関して、まとまった文章を読んだり、アンケート調査をしたりして調べ、その結果をまとめて発表することができる。	①難しい	②なんとかできる	③自信をもってできる	これから目標にしたい	①難しい	②なんとかできる	③自信をもってできる	これから目標にしたい
1.「環境問題」に関するエッセイを読み、内容を理解することができる。								
2.「環境問題」について、簡単に自分の意見を述べることができる。								
3.「環境問題」について、アンケート用紙をつくることができる。								
4. メールでアンケートを依頼することができる。								
5.「環境問題」について、アンケート調査の結果をまとめて発表することができる。								

　チェックリストの項目は、授業全体の到達目標（課題）を活動の流れにそって分けることによって作成します。これ以外にも、活動を通じて身につけてほしいことばの知識や談話能力、社会言語能力、ストラテジーなどをリストに入れることができます。このチェックリストでは、まず、できるかどうかを、①難しい、②なんとかできる、③自信をもってできる、の３段階でチェックさせます。さらに、「これから目標にしたい」項目を学習者自身が選ぶことができるようになっています。

　ここで紹介した自己評価チェックリストは、話題ごとの自己評価リストですが、コース全体の到達目標のチェックリストを作ることもできます。コース全体の到達目標のチェックリストがあれば、学習者はコース全体の目標を意識して学習を進めることができると共に、コース前後の自分の変化に気づくことができます。

◆**活動の評価**

　活動の評価シートは、1つ1つの活動の達成度を評価するためのものです。評価シートを作成するためには、まず、評価項目（何について評価するか）と評価の度合い（レベル）を決めます。レベルの数は自由に決めてよいですが、3段階評価、4段階評価が一般的です。そして、各レベルの能力イメージ（どのようなことができるか、できないか）を項目別に具体化して記述します。評価シートは、「読む」「聞く」「話す」「書く」のどの技能についても作成することができます。

考えましょう

【質問63】

次のシートは、前のページの自己評価チェックリストにある「話す」活動（5.アンケート結果をまとめて発表する）を評価するためのものです。目標レベル（3＝目標を達成）は中級です。下の評価項目以外に、どのような評価項目が考えられますか。

評価シート（学生用）

話題「環境問題」
目標：「環境問題」に関して行ったアンケート調査の結果を、クラスメートの前で、まとめて発表することができる。質問内容と、その回答結果だけでなく、それを分析して出た一般的な傾向についても説明することができる。

達成度 評価項目	努力が必要 1	もう少しで目標を達成 2	目標を達成 3	目標を大幅に達成 4
内容	質問内容とその回答結果だけを、アンケートシートの順に並べて述べることができる。	質問内容とその回答結果など、簡単な事柄について、説明することができる。	質問内容とその回答結果だけでなく、それを分析して出た一般的な傾向についても、ある程度説明することができる。	質問内容とその回答結果だけでなく、それを分析して出た一般的な傾向について、わかりやすく、くわしく説明することができる。

談話構成	簡単な接続表現だけを使って、文と文をつなげて話すことができる。	基本的な接続表現を使って、筋道を立てて話すことができる。	筋道を立てて話すことができるだけでなく、結果、解釈など、内容ごとに、まとまりのある段落をつくって話すことができる。	筋道を立てて話すことができるだけでなく、内容ごとに、まとまりのある段落をつくって話すことができる。段落間のつながりもわかりやすく示すことができる。
語彙・文法	いくつかくり返される間違いはあるが、環境問題に関する基本的な語彙や文型を使うことができ、概ね伝えたいことを伝えることができる。	やや不正確なところはあるが、環境問題に関する基本的な語彙や文型を使い、事実を間違いなく伝えることができる。	環境問題に関する基本的な語彙や文型を正確に使うことができる。	環境問題に関する基本的な語彙や文型だけでなく、より抽象的な語彙や、条件や因果関係を示す文型を効果的に使うことによって、説得力のある表現ができる。

よかったところ	難しかったところ

　評価項目を考える場合は、その授業や活動で大切にしたいことは何かという視点から考えるようにします。つまり、授業や活動で重視する点と評価項目が一致していることが大切です。評価項目は活動の種類によって変わりますが、評価項目を多くしすぎて学習者の負担にならないようにすること、また、日本語の形式面にだけ目を向けるのではなく内容面も評価することに注意しましょう。そして、作った評価シートは活動の前に学習者に見せて、どのような点に注意すればいいのかを、クラスで共有しておくことが大切です。

　この評価シートは学習者用の例ですが、表の下にあるコメント欄を「よくできたところ」「改善点」にすれば、教師用のシートを作ることができます。そして、教師と学習者が同じ評価基準を用いて評価できるようにしておきます。

考えましょう

【質問 64】

「書く」活動で紹介した「私の大切な人」についてブログを書く活動（p.106 練習 Q）を評価するための評価シート（学生用）を作ってみます。下の表の空欄の内容を考えてください。目標レベル（3＝できた）は「中級」とします。

評価シート（学生用）

話題「人」
目標：クラスの人に、自分の身近にいる大切な人について、どのような人か、なぜ大切なのかがよくわかる紹介文を書くことができる

達成度 評価項目	がんばって 1	もう少し 2	できた 3	すばらしい 4
内容	どのような人か、なぜ大切なのかが、漠然としている。全体的に説明不足でわかりにくい。		どのような人か、なぜ大切なのかが、十分に書かれていて、わかりやすい。	どのような人か、なぜ大切なのかが、詳細に書かれている。さらに、その人が魅力的に紹介されている。
構成		文と文の関係や、段落構成でわかりにくい部分もあるが、だいたいの流れはわかる。	文と文の関係、段落の構成が適切でわかりやすい。	段落構成が効果的である。強調したい部分や、それを補強するための具体例（エピソード）などが効果的に配列されている。
語彙・文法・表記など	語彙、文型、表現などに誤りが多いため、文が理解しにくい。表記にも間違いが目立つ。	部分的に語彙が不適切だったり、文法的な誤りもあったりするが、文の理解に影響を与えるほどではない。	このトピックに関連した語彙、文型、表現などが正確に使われている。表記にも大きな間違いがなく、文体も適切である。	

よかったところ	難しかったところ

<活動のふり返り>

学習者自身に主体的に学習に取り組ませるには、活動の後で、活動に自分がどう関わり、それによって何を得たか、学習の過程を学習者自身にふり返らせることが重要になります。

◆ふり返りシート

ふり返り用のシートは、学習者に学習過程をふり返らせるために使用するものです。

考えましょう

【質問 65】
次のシートは、【質問 27】で考えた「環境問題」というトピックの授業デザイン（p.123）のふり返りシートの例です。ほかにどのような質問をつけ加えることができますか。

「環境問題」のふり返りシートの例

この話題の活動をふり返ってください。
1. この話題の学習への参加度
　　　　参加不足 ← 1・2・3・4 → よく参加できた

　＊1、2の人はその理由を書いてください。
　　（　　　　　　　　　　　　　　　　　　　　　　　　）

2. この話題の活動で、あなたはどのようなことを学習しましたか。どのような発見がありましたか。

学習者は、自分の学習を見つめ直すことによって、活動の意味を深く考えることができ、自分自身で成長や変化に気づきます。また、教師にとっても、学習者がどのように学習に関わったかを知ることができます。

特に、ピア活動を取り入れる場合は、学習者が自分の学習の過程に責任を持ち、学習者同士で協力することがなによりも大切になるので、このようなふり返りの作業は必須です。

ふり返りの方法としては、「ふり返りシート」を作成して記入させる方法以外にも、学習日誌（ジャーナル）を書かせる方法、教師がクラスで話し合わせる方法などがあります。自分の学習者にとって利用しやすいものを使ってみてください。

◆ポートフォリオ評価

学習者にとって、自分がどのようなことができるようになったかを記録し、自分の学習の過程を明らかにしておくことは、とても大切なことです。

ポートフォリオというのは、アーティストが自分の作品をかばんに入れて持ち歩くように、学習者が自分の学習の成果（作文、スピーチのテープ、テストの結果など）をファイルに集めて整理しておくものです。このようなポートフォリオによって行う評価をポートフォリオ評価と言い、テストなどに代わる評価方法の1つです。

ファイルに何を入れるかは、学習者と教師が話し合って決めるとよいです。大切なことは、学習の過程をふり返ることができるように、学習の最終的な成果だけではなく、学習者の学習過程がわかるようなものを保存するという点です。たとえば、先に紹介した、自己評価のチェックリスト、活動の評価シートやふり返りシートなども、いっしょにファイルするとよいです。

「JF日本語教育スタンダード［新版］利用者のためのガイドブック」（pp.25-35参照）には、ポートフォリオについての提案がありますので、参考にしてください。

整理しましょう

自己評価チェックリストと活動の評価シートを使用して、達成度を評価すること、そして、活動のふり返りを行う必要性を確認しました。また、テストに代わる評価法として、ポートフォリオ評価を見ました（*5）。

3-8. いろいろなリソース

課題遂行を目標とした日本語教育では、社会的文脈の中で学習を設定することが大切です。特に、上級では「社会生活におけるほとんどの場面」でのコミュニケーションが到達目標となりますから、日本語使用の生の場面を学習に組みこむことが重要になります。このことは、モノ（物的リソース）、ヒト（人的リソース）、コト（イベントや日本語を使える場面）の面から、学習者が日本語を使う環境を広く考えることを意味します。

考えましょう

【質問66】

みなさんのまわり（国、地域、機関など）には、どのようなリソースがあるでしょうか。そして、どのようなものが利用できるでしょうか。ここでは、それを、モノ（物的リソース）、ヒト（人的リソース）、コト（イベントや日本語を使える場面）に分けて考えてみましょう。そして、それを使って、どのような活動ができるか、考えてみてください。

リソース	素材	活動
モノ	例） 料理のレシピ 歌 日本映画やドラマ 日本語のニュースサイト	例） 自国の料理のレシピを書いてウェブサイトに投稿する 歌をきいて歌詞を理解し、楽しむ。実際に歌ってみる
ヒト	例） 地域に住んでいる日本人 日本人旅行者 日本にいる日本人の友だち（ペンフレンドやメール相手を含む） 日系企業で働いている卒業生	例） ビジターセッション*をする
コト	例） スピーチコンテスト 学校や地域の日本文化祭	

*ビジターセッションとは、教室内に日本語話者を招いて活動を行うこと。インタビュー、ディスカッション、ロールプレイなど活動内容はいろいろと考えられる。

> **コラム〜ウェブサイトの利用〜**
>
> 　日本語のラジオやテレビが視聴できない国や地域でも、インターネットを利用すれば、ニュースが簡単に視聴できます。たとえば、Yahoo! ニュースの動画ページ＜ https://news.yahoo.co.jp/live/ ＞などにアクセスしてみてください。ウェブページ上のリソースを広く紹介したものに「NIHONGO e な」＜ https://nihongo-e-na.com/ ＞があり、中級、上級といったレベル別、技能別に検索ができます。また、「エリンが挑戦！にほんごできます。」コンテンツライブラリー＜ https://www.erin.jpf.go.jp/ ＞の「応用スキット」や「見てみよう」では、生き生きとした日本語の会話が視聴できます。さらには、国際交流基金が作成した『すぐに使える「レアリア・生教材」アイデア帖』（スリーエーネットワーク）には、いろいろな生素材とその活用例が紹介されています。
>
> 　インターネット上の日本語を読む場合、漢字や語彙のレベルが問題になりますが、漢字に自動的にルビをふってくれるサイト「ひらひらのひらがなめがね」＜ https://hiragana.jp/ja/ ＞があります。また、辞書サイト「POP辞書」＜ https://www.popjisyo.com/ ＞もありますから、合わせて利用してみてください。

整理しましょう

　身のまわりを広く見回し、どのようなモノ、ヒト、コトを利用して何ができるかを意識的に考えていくことが授業をデザインするうえで重要です。

　学習者は、生の素材に触れることで、生の日本に触れることができます。そうした内容を積極的に授業の中に取り入れることも「内容重視」の学習では重要です。なによりも、学習の機会を教室の中に限定するのではなく、学習者がいる地域社会全体の中に位置づける視点を持ちましょう。

注

*1 : 活動で使うストーリーとしては、ショート・ショートを使うと楽しい。三浦昭他（1998）『中・上級者のための速読の日本語』（The Japan Times）には、予測の質問があるショート・ショートの例が掲載されているので、参考になる。また、ストーリーを利用したジグソー・リーディングについては、舘岡洋子（2005）『ひとりで読むことからピア・ラーニングへ』（東海大学出版会）の中に、くわしい実践例の紹介がある。

*2 : モニターストラテジーを養成するための活動については、本シリーズ第5巻「聞くことを教える」にくわしい。また、質問活動にピア活動を取り入れた実践例としては、王璐（2008）「「モニター」ストラテジー指導を初級聴解授業に取り入れる試み—「質問」の活動を通して—」『日本言語文化研究会論集』第4号を参照のこと。

*3 : 文化に注目させる活動としては、「文化を比べる（Culture comparison）：短い映像を見せて、その中で自分の国と違うと思ったところを3つあげる。たとえば、人物の服装、ジェスチャー、部屋や町の様子、自然現象、ことばの使い方など。後でクラス全体で共有し、必要に応じて教師が解説を加える。」（Stempleski, S. & Tomalin, B.1990）という例が、本シリーズ第5巻「聞くことを教える」に紹介されている。

*4 : スピーチの種類や実例については、東海大学留学生教育センター口頭発表教材研究会（1995）『日本語口頭発表と討論の技術—コミュニケーション・スピーチ・ディベートのために—』（東海大学出版会）にくわしい。

*5 : 「JF日本語教育スタンダード」（https://www.jfstandard.jpf.go.jp/）の『JF日本語教育スタンダード［新版］利用者のためのガイドブック』には、Can-doを利用して、自己評価チェックリストや評価シートを作成する手順がくわしく述べられている。ポートフォリオは「評価表」（自己評価チェックリスト、評価表、成績表、修了証明書など）、「言語的・文化的体験の記録」（ふり返りシートなど）、「学習の成果」（作文やスピーチのテープ、テストの結果など、学習の成果として示せるもの）の3つで構成されている。そして、教師は現場のニーズや目的に合わせて、この3つを組み合わせて自由にポートフォリオを作ることができると説明されている。

4 「中級」「上級」の授業の実際

　この章では、市販の教材を利用したり、教材用素材や生の素材を活用したりした多技能統合型の授業例を紹介します。

　授業例1ではアンケート調査、授業例2ではインタビュー活動、授業例4では、プロジェクト・ワーク、授業例5ではディスカッションを取り入れています。

　なお、表中の時間はあくまでも目安です。また、タスクシートは例ですので、アドバイスの内容などを参考にして、自分の学習者に合わせてアレンジしてください。

4-1. 「中級」の授業の実際

授業例1：「環境問題」について意識調査をする　（シラバスA（pp.22-23）参照）

概要

学習者	中級	時間：6時間（3時間×2）＋宿題
話題	環境問題	
到達目標 （課題）	環境問題に関して、まとまった文章を読んだり、アンケート調査をしたりして調べ、その結果をまとめて発表することができる	
教室活動	次ページの**授業の流れ（活動の内容）**参照	
教材・素材	1. 読解素材「環境意識調査」『みんなの教材サイト』みんなのアイディア「時代はエコ」 The Japan Foundation（*1） 2. 読解素材「Mottainai!」News Letter MADO The Japan Foundation London Language Centre（*2）	
ことばの知識	語彙：環境問題や環境意識に関する語彙 　　　（二酸化炭素、オゾン層、エコ対策、緑化運動など） 表現：アンケートの趣旨を説明したり依頼したりするときの表現 　　　統計結果や分析結果を説明するときの表現	
談話能力	相手にわかりやすく説明するための談話構成能力	

社会言語能力	調査を依頼するときのルールや相手に合わせた表現の使い分け
ストラテジー	読んだものから必要な情報を取る（読解のストラテジー）
技能	読む・書く・話す
その他	アンケート調査に応じてくれる日本人を探す。 （姉妹校の学生、日本人のボランティアグループなど） アンケート対象をクラス外の日本人に探すことが難しい場合は、クラス内で、学習者同士でアンケート調査を実施する。 ・メールによるアンケート調査は、回答者に許可を得て、そのアドレスにアンケート用紙を送る方法のほか、決められたサイトにアンケート用紙を載せ、そこにアクセスしてもらい、答えてもらう方法もある。状況に応じて教師が安全で簡便な方法を選択する。 ・メールではなく、アンケート用紙を配布する方法でもよい。

授業の流れ

段階　　　　　　　　　　**活動の内容**

ウォーミングアップ
- 授業の目的を知る。　　　　　　　　　　　　　　　　（概要・到達目標参照）
- 「環境意識調査」に答えて、環境に関する語彙を確認したり、自分の環境に対する意識を確認したりする。
　　　　　　　　　　　　　　　　　　　　　　　⇒タスクシート1

主な活動

インプット中心の活動
読む：「環境問題」に関係するエッセイ「もったいない運動」を読んで理解する。問題点を把握し、内容について自分の意見を述べたり、クラス内で話し合ったりする。
　　　　　　　　　　　　　　　　　　　　　　　⇒タスクシート2

アウトプット中心の活動
書く：アンケート用紙をつくり、メールでアンケート調査をする。
　　　　　　　　　　　　　　　　　　　　　　　⇒タスクシート3、宿題
話す：結果をまとめて、発表する。

まとめ
- 発表について、自己評価、他者評価をする。
- 活動のふり返り：活動をとおしてどのような学びや気づきがあったか、ふり返りシートに書く。　　　　　⇒第3章 p.116

（一回目：ウォーミングアップ〜インプット中心の活動／宿題／二回目：アウトプット中心の活動〜まとめ）

タスクシート1　　ウォーミングアップ

環境意識調査

1. 下の質問に答えてください。あなたは何点とれますか。

☆あなたはどのくらい環境に気をつけていますか。
　　　いつもする……5点　ときどきする……3点　まったくしない……0点

① 電気をつけっぱなしにしない。・・・・・・・・・・・・・・・（　　）
② 水を出しっぱなしにしない。・・・・・・・・・・・・・・・・（　　）
③ ゴミを分別する。・・・・・・・・・・・・・・・・・・・・・（　　）
④ 買い物の時、レジ袋をもらわない。・・・・・・・・・・・・・（　　）
⑤ 使い捨ての食器は使わない。・・・・・・・・・・・・・・・・（　　）
⑥ エアコンの温度設定に気をつける。・・・・・・・・・・・・・（　　）
⑦ 電化製品を使わない時にはコンセントを抜いている。・・・・・（　　）
⑧ 車にはなるべく乗らないようにしている。・・・・・・・・・・（　　）
⑨ 食べ残したスープや油をそのまま捨てない。・・・・・・・・・（　　）
⑩ 地球温暖化問題について考えている。・・・・・・・・・・・・（　　）

　　　　　　　　　　　　　　　　　　　　　　　　　合計点 _____

☆結果をまわりの人と比べてみましょう。
　　環境意識がいちばん高い人はだれですか。

「みんなの教材サイト」より

---

2. 「環境意識調査」の質問の中に、新しいことばがありましたか。となりの人に聞いたり、辞書を引いたりして意味を確認しましょう。

3. 次のことばに共通する形と意味は何ですか。

　　　　つけっぱなし　　　出しっぱなし

　次のことばの意味は何だと思いますか。

　　　　入れっぱなし　　　開けっぱなし

タスクシート2 「読む」活動

> 読む前に

1. 「環境意識調査」の④に「買い物の時、レジ袋をもらわない」という文がありました。「いつもする」「ときどきする」と答えた人は、どうしてそうしますか、「まったくしない」と答えた人は、どうしてそうしませんか。

2. 「もったいない」ということばを知っていますか。知っている人は意味を説明してください。意味を知っている人も知らない人も、次の文章を読んで、その意味を考えてみましょう。

> 読みましょう

もったいない運動

　あなたは「もったいない運動」を知っていますか。物や資源を大切にして、地球の環境を守るのが「もったいない運動」です。キーワードはRで始まる3つのことば、リデュース（ごみやむだの削減）、リユース（物の再利用）、リサイクル（資源の再生利用）です。

　「もったいない運動」はケニアのワンガリ・マータイさんが世界中でよびかけている運動です。マータイさんは、日本に来たときに日本語の「もったいない」ということばを初めて知りました。そして、3Rを一言で表すのにぴったりだと思って使い始めたそうです。

　日本人は価値のあるものがうまく使われていないときや、むだに使われているときに「もったいない」と言います。また、資源は大自然からの恵みですから、「もったいない」には自然への感謝の気持ちが入っています。日本は資源がとても少ないので、特に感謝してこれを使わなければなりません。

　地球環境問題の改善にむけて、現在、日本ではいろいろな方法で3Rを実行しています。例えば、2005年の夏に「クールビズ運動」を始めました。建物を冷房する電力を節約するために、ビジネスマンがネクタイと上着をやめて、涼しい服を着るようにしました。家庭では、リサイクルのために、紙やビンなどの資源ごみを分けて捨てるのが当たり前になっています。中古品を

安く売るフリーマーケットもあちこちで開かれています。

　一方で、食べ物のむだは大きな問題です。コンビニのべんとうの売れ残り、レストランの料理の食べ残しなど、食べられる「ゴミ」が毎日、大量に捨てられています。このことを知った多くの人々が、心を痛めています。

　今、地球の環境はどんどん破壊されています。地球と私たち自身のために、きちんと考えて、きちんと行動しなければなりません。マータイさんは、「大切なことは一人ひとりがやれることをやること。小さいことに見えても、みんなでやれば大きな効果を生むはずです。」と言っています。

　さあ、あなたはどんな「もったいない」ができますか。

「Mottainai!」News Letter MADO Vol.25 Apr. 2006 The Japan Foundation London Language Centre
を利用して作成

3. 文章の内容に合っているものには○を、合っていないものには×をつけてください。

① （　）マータイさんは、日本へ行く前に、ケニアで日本語を勉強しました。
② （　）「もったいない」と言えば、3Rを全部いっしょに説明することができます。
③ （　）日本語の「もったいない」は、自然への感謝の気持ちが入っていることばです。
④ （　）日本では、ものや資源のむだがぜんぜんありません。
⑤ （　）マータイさんは、環境問題は大きな問題なので、一人ひとりが考えて行動しても効果はないと言っています。

4. 次のRで始まる3つのことば（3R）の、それぞれの意味は何ですか。また、それぞれの具体的な例を本文の中からさがして書いてください。また、となりの人と話し合って、ほかの例を考えてください。

リデュース
　意味：
　具体的な例：

```
リユース
    意味：
    具体的な例：

リサイクル
    意味：
    具体的な例：
```

考えましょう

5. 食べ物を捨てることについて、あなたはどう思いますか。また。食べ物をむだにしないために、どうすればいいと思いますか。クラスで話し合いましょう。

6. 私たちが地球の環境を守るためにしなければならないと思うことを、となりの人と相談して5つ、文章で書いてください。

　例）大気汚染を防ぐために、できるだけ電車を使ったり歩いたりして、車を使わないようにしなければならないと思います。

7. 本文中の「もったいない運動」の「運動」の意味と同じ意味で使われていることばはどれですか。

　①海で泳ぐ前に、必ず**準備運動**をしてください。
　②彼女は、昔、**女性解放運動**に参加したことのある有名な政治家だ。
　③この体操は、いろいろな**屈伸運動**を組み合わせた健康によい体操だ。
　④秋の総選挙に向けて、各地で**選挙運動**が始まった。
　⑤建物を冷房する電力を節約するために、ビジネスマンがネクタイと上着をやめて、涼しい服を着るようにした運動を**クールビズ運動**と言う。

　地球の環境をよくするために、ほかにどんな「運動」が考えられますか。ことばを作ってみてください。　例：木を植える運動／植林運動

8. 次の文章の( )の中に入ることばを下の□の中から選んで入れてください。

　「もったいない運動」はケニアのワンガリ・マータイさんが世界中でよびかけている運動です。キーワードはRで始まる3つのことば、リデュース：ごみやむだの（　　　）、リユース：物の（　　　）、リサイクル：資源の（　　　）です。

　日本人は（　　　）のあるものがうまく使われていないときや、むだに使われているときに「もったいない」と言います。

　地球（　　　）問題の（　　　）にむけて、現在、日本ではいろいろな方法で3Rを実行しています。例えば、2005年の夏に「クールビズ運動」を始めました。建物を冷房する電力を（　　　）するために、ビジネスマンがネクタイと上着をやめて、涼しい服を着るようにしました。家庭では、リサイクルのために、紙やビンなどの（　　　）ごみを分けて捨てるのが当たり前になっています。（　　　）を安く売るフリーマーケットもあちこちで開かれています。

　一方で、食べ物の（　　　）は大きな問題です。コンビニのべんとうの（　　　）、レストランの料理の（　　　）など、食べられる「ゴミ」が毎日、大量に捨てられています。

　今、地球の環境はどんどん（　　　）されています。地球と私たち自身のために、きちんと考えて、きちんと行動しなければなりません。

節約　環境　再利用　再生利用　資源　価値　むだ　破壊　削減　改善
中古品　食べ残し　売れ残り

タスクシート3　　アンケート調査

環境問題についてアンケート調査をしてみましょう。

アンケート調査は、
・2人1組になって、行います。
・最後に調査結果を集計して、発表します。
・アンケート調査の対象は、＿＿＿＿＿＿＿＿＿＿＿＿＿＿＿＿＿です。
・メールを使って調査します。

アンケートシートを作る

1. アンケートの質問内容を考えて、アンケートシートを作ってください。
   タスクシート「環境意識調査」を参考に作ってもいいです。
   次の「アンケートシートの例」も参考にしてください。質問5は自由に答えを書いてもらう質問です。ほかにもアンケートシートの作り方でどのような方法があるか考えてください。また、アンケートの内容に関係することで、回答者に聞いたほうがよいと思うことがあったら書いてください（例：住んでいる所、職業、専門など）。

アンケートシートの例（目的：日本人の大学生の3Rの意識を知ること）

次の質問の当てはまるところに○をつけてください。	よくする	時々する	あまりしない	全然しない
質問1：人のいない部屋の電気はすぐに消す				
質問2：古くなった洋服は自分で作り直してもう一度着る				
質問3：いらなくなった物はフリーマーケットで売る				
質問4：ビンやペットボトルなどは、資源ごみとして出す				
質問5：ほかに、あなたが環境のためにしていることがあったら書いてください。 <答え>				

メールでアンケートの依頼をするときの文章を考える

アンケートをメールで依頼するときの文章を考えましょう(*3)。
・2人で相談して書いてください。
・考えた表現を他のグループと交換して、不足しているところなどを教え合いましょう。
・できあがったら、提出してください。フィードバックします。

宿題

メールでアンケート調査をしてください。回答は ＿＿＿＿＿＿＿＿ までに集めてください。結果を集計して＜発表する内容＞と＜発表のときのことば＞を考えておいてください。発表は、＿＿＿ 月 ＿＿＿ 日の授業で行います。

アンケート結果を発表する

＜発表する内容＞
- どのような目的でどのような質問をしたか
- どのような結果が出たか
- 結果についてどう考えるか

グラフなどを作ったほうがわかりやすい場合は、グラフを作ってみてください。

＜発表のときのことば＞（例）

はじめのあいさつ ・みなさん、おはようございます。○○（名前）です。

序論 ・これから、アンケート調査の結果を報告します。

本論 ・私たちは ＿＿＿＿＿＿ について知る目的で、○人の人にアンケート調査をしました。質問は5つです。一つ目は ＿＿＿＿＿＿＿＿＿＿

　　　二つ目は ＿＿＿＿＿＿ ……。

・質問に対する答えは次のとおりでした。
まず、＿＿＿＿＿＿＿＿＿＿＿＿＿ という質問に対して、＿＿＿ 人
（　　%）の人が ＿＿＿＿＿＿＿ と答えました。次に、＿＿＿

結論 ・以上のことから、＿＿＿＿＿＿＿＿＿ ということがわかりました。

・＿＿＿＿＿＿＿＿＿ ということが言えるのではないかと思います。

おわりのあいさつ

・以上で私たちの報告を終わります。どうもありがとうございました。

アドバイス （この授業で利用できる本や素材）

○「読む」素材として使えるもの
- 環境問題に関する記事「毎日新聞」 URL ＜ https://mainichi.jp/ ＞
- ごみの分別に関する役所（市役所、町役場など）からのお知らせ・冊子類

- 安藤節子他（2010）『改訂版　トピックによる日本語総合演習　テーマ探しから発表へ　上級』「4．リサイクル」Ⅲ．情報2：読み物「循環型社会」スリーエーネットワーク

- 赤木浩文他（2007）『トピックによる日本語総合演習　テーマ探しから発表へ上級用資料集第3版』「4．リサイクル」2）記事　スリーエーネットワーク

- 読解素材「時代はエコ」『みんなの教材サイト』みんなのアイディア
  URL < https://www.kyozai.jpf.go.jp/ >

○アンケート用紙の作り方、アンケートの仕方、評価について
- 安藤節子他（2010）『改訂版　トピックによる日本語総合演習　テーマ探しから発表へ　上級』「調査・発表のための手引き」4．アンケート調査と口頭発表　7．評価シート　スリーエーネットワーク

○メール文章の書き方に関する参考図書
- 簗晶子他（2005）『日本語Eメールの書き方』ジャパンタイムズ

（参考）アンケートを依頼するメールの例

○○○○様

私は××××大学の学生で△△△△と申します。

私は今、＿＿＿＿＿＿＿＿＿＿＿＿＿＿についてアンケート調査をしています。

このアンケート調査は、「総合日本語」の授業の課題として行うものです。

担当の□□□□先生からアンケート調査の対象として、○○○○さんを紹介していただきました。お忙しいところを申し訳ございませんが、可能でしたら、添付のアンケート用紙にご記入のうえ、ご返送ください。

＿＿月＿＿日 までにご返送いただけますと幸いです。

よろしくお願いいたします。

　　　△△△

授業例２：「健康法」についてインタビューする

概要

学習者	中級	時間：8時間（4時間×2）
話題	健康法	
到達目標 （課題）	健康法に関する情報を集め、整理して発表することができる	
教室活動	次ページの**授業の流れ（活動の内容）**参照	
教材・素材	1. 映像素材（幼稚園での乾布摩擦のシーン）『エリンが挑戦！にほんごできます。』第16課「見てみよう」前半 (*4) 2. 聴解素材「スターの健康法」『J. Bridge』Lesson7　Step1	
ことばの知識	語彙：話題（健康法）に関する語彙 表現：インタビューをするときの表現。発表で説明するときの表現	
談話能力	インタビューを構成する能力。あいづち 相手にわかりやすく説明するときの談話構成能力	
社会言語能力	インタビューをするときのルールや相手に合わせた表現の使い分け	
ストラテジー	見聞きしたものから必要な情報を取る（視聴のストラテジー） 聞き返す、確認するなどの技術（聴解・会話のストラテジー）	
技能	話す・聞く・書く	
その他	可能であればインタビュー相手として日本人の協力者を探し、依頼する。インタビュー内容は、できるだけ録音させてもらい、あとで聞き返してふり返ることができるようにする。	

授業の流れ

段階	活動の内容	
ウォーミングアップ	・授業の目的を知る。　　　　　　　　（概要・到達目標参照） ・「健康」に関係する語彙や表現の知識を確認する。健康法について自分の経験を話す。 　　　　　　　　　　　　　　　　　　　　　⇒タスクシート１	一回目
主な活動	**インプット中心の活動** 聞く：・健康法に関するビデオを見て、日本での健康法に関する情報を得る。 　　　・健康法に関するインタビューの音声素材を聞き、発話や内容を理解する。 　　　　　　　　　　　　　　　　　　　　　⇒タスクシート２	
	アウトプット中心の活動 話す：インタビューをして健康に関する情報を引き出す。 　　　　　　　　　　　　　　　　　　　　　⇒タスクシート３ 書く：得た情報を整理し、まとめる。 話す：まとめた内容を発表し、質問に答える。	二回目
まとめ	・発表について、自己評価、他者評価をする。 ・活動のふり返り：活動をとおしてどのような学びや気づきがあったか、ふり返りシートに書く。	

タスクシート1　ウォーミングアップ

「健康」について考えてみましょう
　①「体」の部分をさすことばを言ってみましょう。
　　どんなことばを知っていますか。
　②「病気」に関することばを言ってみましょう。
　　どんなことばを知っていますか。
　③最近、体の調子はどうですか。体の調子が悪くなった人、体の調子がよくなった人はいますか。

タスクシート2　聴解

DVDを見る前に

1. みなさんの健康法は何ですか。体のために何かよいことをしていますか。

DVDを見ましょう

2. 健康法に関するDVDを見て内容を理解しましょう。
　使われている表現を利用して自分自身の健康法について話してみましょう。

　(1) DVDの前半を見て、次の質問に答えましょう。　素材1前半部分 (pp.138-139)
　　①どのような健康法が紹介されましたか。

　　②この健康法にはどのような効果があると思いますか。

　(2) DVDの後半を見て、次の質問に答えましょう。　素材1後半部分 (p.139)
　　①この健康法にはどのような効果があると言っていますか。
　　　(1)②で考えたあなたの予測とあっていましたか。

　　②あなたの国にも同じような健康法がありますか。

(3) DVDの後半をもう一度見ます。
　　DVDをもう一度見る前に下の質問に答えてください。

　下の文は「佐竹まゆ先生」の話の一部です。（　　）の中にどのようなことばが入るでしょうか。DVDをもう一度見る前に、（　　）の中にどのようなことばが入るか予測してみましょう。それからDVDを見て、聞き取ったことばを入れましょう。

```
体をこする（　　　　　　　）、とてもあったかくなります（　　）、
ひふ（　　）じょうぶになる（　　　　　　）、かぜをひかない体になると思います。
```

話しましょう

3. あなたの健康法について教えてください。
　例のように、（　　　　　）の中をうめる形で説明してもいいです。
　例）

```
わたしの健康法は（毎朝20分歩くこと　　）です。
（毎朝20分歩く　　　　　　　　）ことによって、
（からだがじょうぶに　　　　　　）なるし、
（ダイエットにも　　　　　　　　）なります。
```

聞きましょう　　　　　　　　　　　素材2 (p.139)

4. 健康法に関するインタビュー（テレビ番組の音声）を聞いて、内容を理解しましょう。また、インタビューするときの表現や答えるときの表現について知識を整理しましょう。

(1) 次の質問の答えを考えながらインタビューを聞いてください。
① インタビューに答えている人の職業は何ですか。
② 健康のためにどのようなことに気をつけていると話していますか。

(2) もう一度インタビューを聞きます。今度は、インタビューをしている司会者のことばに注意して聞いてみましょう。

①司会者はどのようなことばを使ってインタビューを始めていますか。
②相手の話にどのようなことばを使って反応していますか。
　　例）え！
③司会者の使っている表現で効果的だと思うものがあったら、書き出してください。

アドバイス

ここでは、市販のテキスト『J. Bridge』（Lesson7　Step1　スターの健康法 LISTENING（聴解）のCD素材（音声）のみを利用しました。このテキストでは、この素材の内容理解のための質問や、素材の中の重要な文法項目を意識化させ、習得させるための質問や練習が用意されています。学習者のレベルに合わせて利用すると効果的です。

タスクシート3　「健康法」に関するインタビュー

「健康法」に関するインタビューをしましょう。

インタビューは2人1組で行います。
インタビューに答えてくれる人は
＿＿＿＿＿＿＿＿＿＿＿＿＿＿さんと
＿＿＿＿＿＿＿＿＿＿＿＿＿＿さんです。
インタビューの時間は、1人に対して5分です。

| インタビュー活動のスケジュール | 次のようにインタビュー活動をします。 |

スケジュール表
　〇月〇日　〇時間目　インタビューの準備
　〇月〇日　〇時間目　インタビュー調査
　〇月〇日　〇時間目　まとめ
　〇月〇日　〇時間目　発表

インタビューの表現

インタビューをするときに使う表現について考えましょう。例）以外にも知っている表現があったら書いてください。

①インタビューを始めるときの表現
　例）インタビューを始めます。／では、○○についてお話をうかがいます。

②インタビューを終えるときの表現
　例）お忙しいところありがとうございました。／ご協力ありがとうございました。

③インタビューをしているとき、相手の話がよくわからないときの表現
　例）もう一度お願いいたします。／たとえば、どんな例がありますか。

④インタビューをしているとき、相手にさらにくわしく話してほしいときの表現
　例）もう少しくわしくお話しいただけませんか。

⑤そのほかにインタビューをするときに気をつけることは何ですか。

インタビューの内容

　2人1組になってインタビューの内容を考えましょう。

インタビューの内容をまとめる

　インタビューをしたら、まとめのシートに内容を整理して書いてください。

まとめのシート（例）

インタビューの日付	○月○日
インタビューの相手 （職業など）	田中太郎 男性、大学3年生
インタビュー内容 　　質問項目① 　　・・・・・ 　　・・・・・	相手の答え① ・・・・・ ・・・・・
特に印象に残ったこと	
新しく覚えたことばなど	

インタビューの内容の発表

2人で相談して、発表の原稿を書いてください。
はじめのあいさつ、おわりのあいさつのことばも考えてください。

素材1

『エリンが挑戦！にほんごできます。』第16課「見てみよう」（幼稚園での乾布摩擦）スクリプト

前半部分

エリン・ホニゴン	見てみよう！
ホニゴン	いろいろな人たちが健康のために運動したり、工夫したりしているね。 今日は日本の健康法。 だれでもかんたんにできるものを紹介しよう。
エリン	はい。
ホニゴン	まず、これを見てみよう。
子どもたち	こんにちは！
エリン	ここは幼稚園ですね。
ホニゴン	そう。 この幼稚園では、日本のむかしからの健康法をやっているよ。
エリン	あれ、みんな、どこへ行くんですか。
子どもたち	いち、に、さん。 に、に、さん。……。
エリン	大きい声。
ホニゴン	ここは、幼稚園のにわだよ。
エリン	何をしているのかなあ。

先生と子どもたち	いち、に、さん。　に、に、さん。
	さん、に、さん。よん、に、さん。
	ご、に、さん。
	いち、に、さん。……。
ホニゴン	これは乾布摩擦。
	タオルやぬので体をこするんだ。
エリン	へえー。

後半部分

エリン	寒くないんですか？
ホニゴン	うーん、今の気温は10度くらいだねえ。
エリン	でも、みんな元気ですね。
先生と子どもたち	…さん。
	さん、に、さん。
	よん、に、さん…。
先生	<u>体をこすることによって、とてもあったかくなりますし、ひふもじょうぶになるので、かぜをひかない体になると思います。</u>
子ども1	寒くない。
子ども2	寒くない。
子ども3	寒くないっていうか。
子ども4	暑い。
リポーター	暑いの。
エリン	なるほど。

素材2

小山悟（2002）『J.Bridge』凡人社（Lesson7　Step1 スターの健康法　LISTENING（聴解）スクリプト）

第7課
Step1 スターの健康法

司会：みなさん、こんにちは。「ヘルシー・クッキング」のお時間です。今日も素晴らしいお客様に来ていただきました。ファッション・モデルであり、また歌手でもある俳優の大友雄二さんです。では、みなさん、拍手でお迎えしましょう。大友さん、どうぞ。
大友：こんにちは。はじめまして。
司会：はじめまして。今日はよろしくお願いします。
大友：こちらこそ。
司会：早速ですが、大友さんは以前ずいぶん**太っていらっしゃった**そうですね。
大友：ええ、そうなんです。中学生のころは体重が80キロぐらいありました。
司会：え！中学生で80キロですか。それがどうしてこんなにスリムに**なられた**んですか。
大友：高校でサッカーを始めたのがきっかけでした。それまではあまりスポーツが好きじゃなかったんですが、女の子にモテたくて…。
司会：ははは…。そうですか。それで、サッカーは今も**続けていらっしゃる**んですか。
大友：ええ。仕事の仲間とサッカーチームを作っていまして、休みがとれると、必ずと言っていいほどやっています。

司会：なるほど。ところで、食生活についてお聞きしたいんですが、食事でなにか**気をつけていらっしゃる**ことはありますか。
大友：モデルをやっているので、もちろん**食べ過ぎないように**気をつけています。ケーキとかチョコレートなどの甘いものはできるだけ**食べないように**しています。
司会：食事はやはりあまり**めしあがらない**んですか。
大友：いえ。そんなことはありません。モデルや俳優の仕事はやはり体力を使いますから、暑くて食欲がない時でも必ず3回食事を取るようにしています。
司会：具体的にどんなものを**めしあがる**んですか。
大友：そうですね。肉、野菜、魚などをバランスよく**食べるように**しています。煮ものをよく食べますが、揚げものはあまり**食べないように**しています。他には、海草やキノコを使ったサラダなんかもよく食べます。
司会：お酒は**お飲みになる**んですか。
大友：ワインは少し飲みますが、日本酒やビールは絶対**飲まないように**しています。アルコールもストレスを**解消するためには**いいと思いますが、やはり体にあまりよくないですから。
司会：他になにか気をつけていらっしゃることはありますか。
大友：寝ることですね。毎日必ず8時間は**寝るように**しています。一日のつかれをとるためにはそのぐらい寝ないとダメなんです。それから、お風呂は40度の熱さでゆっくり**入るように**しています。
司会：ずいぶん**気を使っていらっしゃる**んですね。
大友：ええ。いい仕事が**できるように**、健康に気をつけることも大切ですから。
司会：そうですか。それでは、ここでちょっとCMを。

アドバイス（この授業で利用できる本や素材）

○「聞く」素材として使えるもの
- 小山悟（2002）『J. Bridge』（Lesson7 Step2　アロマテラピー pp.141-147）凡人社

○インタビュー調査の仕方、評価について
- 安藤節子他（2010）『改訂版　トピックによる日本語総合演習　テーマ探しから発表へ　上級』「調査・発表のための手引き」5．インタビュー調査と口頭発表、7．評価シート　スリーエーネットワーク
- 国際交流基金（2007）『国際交流基金日本語教授法シリーズ6　話すことを教える』

授業例3：「いじめ」の問題 について考える

概要

学習者	中級	時間：3時間
話題	教育（いじめ）	
到達目標（課題）	「学校のいじめ」に関するまとまった文章を読んで理解し、自分の意見をこめた宣言文が書ける	
教室活動	次ページの**授業の流れ（活動の内容）**参照	
教材・素材	読解素材　「勇気を出していじめとめよう」『朝日新聞』2007年3月20日	
ことばの知識	語彙：教育（いじめ）に関する語彙 表現：宣言文をつくるときの表現	
談話能力	新聞記事の談話構成を理解する能力	
ストラテジー	読んだものから必要な情報を取る（読解のストラテジー）	
技能	読む・話す・書く	

授業の流れ

段階　　　　　　**活動の内容**

ウォーミングアップ
- 授業の目的を知る。
- 「いじめ」について知っていることを話す。
　　　　　　　　　　　　　　　　　⇒タスクシート1

主な活動

インプット中心の活動
読む：
- 「いじめ」に関する新聞記事を読んで内容を理解する。
- 新聞記事の「宣言文」の部分に注目し、表現や内容について考える。気に入った宣言文を選ぶ。
　　　　　　　　　　　　　　　　　⇒タスクシート2

アウトプット中心の活動
話す：新聞記事の中から選んだ宣言文について、選んだ理由を話す。
書く：自分自身の宣言文を書く。
読む・話す：ほかのグループの宣言文を読み、アイディアを共有する。
　　　　　　　　　　　　　　　　　⇒タスクシート2

まとめ
- 活動のふり返り：活動をとおしてどのような学びや気づきがあったか、ふり返りシートに書く。

141

タスクシート１　ウォーミングアップ

自分のまわりにいじめがあるか、学校でのいじめをなくすためには、どうすればいいかについて、話し合ってみましょう。

タスクシート２　読解・作文

読む前に

1. いじめに関係のある行動①〜⑨は、下のa〜eのどの人に関係があるかを考えてください。そして、どうしてそう思うのか、話し合ってみましょう。

   ①相手の立場になって考える　　②見て見ぬふりをする
   ③まわりに人に相談する　　　　④子どものＳＯＳに気づく
   ⑤不安をあおらない　　　　　　⑥自分の感情をコントロールする
   ⑦自分の言動をふり返る　　　　⑧まわりの人に相談する
   ⑨子どもとコミュニケーションをとる

   〔a. いじめられている人　b. いじめている人　c. まわりで見ている人　d. 先生
   e. 両親〕

読みましょう

2. 新聞のタイトルを見て、考えてください。
   だれが、何のために、何を書きましたか。

3. リード文（　　で囲った部分）を読んでください。学校の中のいじめにはどんな人が関係していますか。

4. グループで協力して、「いじめゼロ宣言全文」を読んでください。いじめをなくすためにどうすればいいか、ウォーミングアップ１のみなさんの考えに合っているものがあったら線を引いてください。
   ＊推測してもわからないことばがあったら、辞書を引いてもいいです。

5. 「いじめゼロ宣言全文」の中で提言、メッセージを伝えるときに、どんな表現を使っていますか。便利な表現に下線を引いてみましょう。

勇気を出していじめとめよう

佐賀市郡の中学校

根絶へ生徒が宣言

佐賀市と川副、久保田、東与賀の中学校の生徒が共同で、いじめをなくすための「いじめゼロ宣言」をまとめた。「いじめている人」『いじめられている人』『まわりで見ている人』『親を含めた大人の人』の四つの立場の人たちに向けたメッセージになっている。生徒たちは今後、宣言文をもとに生徒会などでいじめ防止に取り組んでいく。

宣言は、昨年全国で相次いだいじめ自殺を受けて作った。1月に最初の会合に約70人の生徒が参加した。心に訴えかける文章にするため、一つひとつの言葉を吟味して宣言を作り上げた。特に、いじめをしたらいいか、どんな言葉をかけられている人へのメッセージづくりでは、「相談できる人たちがいればきっと状況はよくなる」ということを伝えるために、生徒たちが頭を悩ませたという。

2回目の会合には、佐賀市郡19校のうち13校で出た文案を各校に持ち帰って練り直した。できあがった宣言文はパネルにして、各校に掲示する。

いじめゼロ宣言全文
◆いじめている人へ
　相手の立場になって、自分の言動を見直し、感情のコントロールができるようになろう。
　相手の心を元気にする言葉の花束を贈ろう。
◆いじめられている人へ
　大丈夫だよ。悩みを抱え込まないで「相談」という扉を開いてみなよ。きっと何かが変わるから。
◆まわりで見ている人へ
　信頼できる人たちと協力し、勇気を出していじめをとめよう。見て見ぬふりをすることもいじめだから。
◆親を含めた大人の人へ
　大人には子どものSOSに気づく義務があります。
　親は、子どもときちんと正面から向き合い、コミュニケーションをとってください。
　また、子どもの不安をあおることのない適切な報道をしてください。

朝日新聞2007年3月20日

話しましょう／書きましょう

6. 「いじめゼロ宣言全文」の中で、いちばんいいメッセージだと思うものを選んでどうしてそう思うかグループで話し合いましょう。

7. グループで、この授業の最初に話し合ったことを思い出しながら、いじめをなくすための提言（メッセージ）を書いてみましょう。グループで1枚、宣言文を作成して、他のグループが書いたものと交換して読んでみましょう。

4-2.「上級」の授業の実際

授業例4：町の紹介パンフレットを作る（プロジェクト・ワーク）

この授業例にはタスクシートはありません。

概要

学習者	中級・上級	時間：12時間（3時間×4）
話題	町の紹介・観光	
到達目標（課題）	町を紹介するパンフレットを作ることができる	
活動	次ページの**授業の流れ（活動の内容）**参照	
教材・素材	日本人向けに作られた観光案内のパンフレットやガイドブック（自分の町やその近くの観光地のものがよいが、ない場合は、自分の国で日本人が多く来る観光地の観光案内や大使館などが作っている日本人向けパンフレットなどを手に入れて読んでみる。）	
ことばの知識	観光地の名前、観光に関することば、キャッチフレーズ インタビューをするときの表現、説明のための表現 パンフレットに簡潔に書くときの文体	
談話能力	談話構成の能力、段落構成能力、接続表現、あいづち	
社会言語能力	相手に合わせてことばや話し方を変える	
ストラテジー	聞き返す、確認するなどの技術（会話のストラテジー）	
技能	話す・聞く・書く	
その他	インタビュー相手として、短期滞在日本人、留学生などの協力を依頼する	

> **コラム〜プロジェクト・ワーク〜**
>
> プロジェクト・ワークとは「学習者が興味や関心のある現実的なテーマについて、何かのプロジェクトを設定し、それを遂行していく過程で目標言語を多量に使用しながら、内容について学習していく活動」のことを言います。「パーティーを企画して実施する」「クラス新聞を作る」など、作業をグループで分担して、課題を達成するという活動です。
>
> ＜参考図書＞
> ・バルダン田中幸子他(1988)『コミュニケーション重視の学習活動1 プロジェクト・ワーク』凡人社

授業の流れ

段階	活動の内容	
ウォーミングアップ	・授業の目的を知る。グループを作る。 ・自分たちの町のよいところ、紹介したいことについて話し合う。	一回目
主な活動	**インプット中心の活動** 読む：**パンフレット、観光案内、ガイドブックなどを読む** 　日本人向けに作られているパンフレット、観光案内、ガイドブックなどを読む。(どのような情報や内容が載っているか理解するとともに、どのような表現が使われているか理解する)	一回目
	アウトプット中心の活動 話す・聞く：**日本人にインタビューする** (*5) 　同じ町に住む短期滞在の日本人や留学生などにインタビューをして、その町の情報として知りたいことなどを聞く。(既に観光地として有名な場所の場合は、ガイドブックなどに載っていない情報で何が知りたいかを聞く) 話す：**内容を決める・役割を分担する** 　グループで話し合い、パンフレットに載せる内容を決める。作業を分担する。 書く：**パンフレットを作る** 　必要な情報を収集し、得た情報を整理して、パンフレットを作る。 話す・聞く：**評価を得る** 　日本人にパンフレットを見せて、感想を聞く (*6) 　あるいは、ブログなどに載せて、感想を求める。 話す：**発表会をする** 　できたパンフレットを発表し、意見交換をする。	二回目 三回目・四回目
まとめ	・作ったパンフレットや発表について、自己評価、他者評価をする。 ・活動のふり返り：活動をとおしてどのような学びや気づきがあったか、ふり返りシートに書く。	

授業例5：外国語教育について考える

この授業例には、前半部分のみタスクシートがついています。

概要

学習者	上級	時間　6時間（2時間×3）
話題	外国語教育（日本での「英語必修化」の動きについて）	
到達目標 （課題）	「外国語教育（日本での「英語必修化」の動きについて）」をテーマに、さまざまな種類の新聞記事を読み、内容を理解し、読んだテーマに関して自分なりの意見を表明し、話し合うことができる	
教室活動	次ページの**授業の流れ（活動の内容）**参照	
教材・素材	・新聞記事①一般の人の意見（投書欄など）400字程度のもの2編 <発展編> ・新聞記事②専門家の意見（論説など）1000字程度のもの2編	
ことばの知識	・外国語教育やその政策に関係する語彙 ・意見表明のための文末表現 ・理由を述べたり条件を述べたりするときの表現	
談話能力	・段落構成を理解する ・論理立てて、わかりやすく意見を述べる	
社会言語能力	・話し合うときに、うまく相手の意見を評価したり、否定したりする	
ストラテジー	類推などの読解ストラテジー、 聞き返し、言い換えなどの会話ストラテジー	
技能	読む・書く・話す	

アドバイス

○新聞記事を使うときのリソースについては、日本語学習ポータルサイト「NIHONGO e な」を参考にしてください。（p.120参照）

授業の流れ

段階	活動の内容	
ウォーミングアップ	・授業の目的を知る。 ・外国語教育について自分の経験を話す。 ・話題に関係する語彙や表現に関する知識を確認する。 ⇒タスクシート1	一回目
主な活動	**インプット中心の活動** 読む・書く： ・新聞記事①（一般の人の意見）2種類を読む。 　前作業　キーワード、見出しから内容を推測する。 　本作業　内容を把握する。意見を賛成、反対に分ける。 　　　　　記事の要点を整理して書く。 　後作業　自分の意見を述べる。 ⇒タスクシート2	二回目
	アウトプット中心の活動 話す：ディスカッション 書く：自分の国の外国語教育と比較して意見文を書く。	三回目
まとめ	・活動のふり返り：活動をとおしてどのような学びや気づきがあったか、ふり返りシートに書く。	

タスクシート1　ウォーミングアップ

① あなたは小学校のときに、どのような外国語を勉強しましたか。
② あなたは小学校で外国語を勉強することについて、
　自分の経験からどう思いますか。いい点と悪い点をあげてください。
　(小学校で外国語を勉強した経験がない人は、小学校で外国語を勉強するとどんないい点や悪い点があると思いますか？)
③ あなたの国では小学校でどんな外国語を教えていますか？
　あなたは教師として、小学校で外国語を教えることについて、どう思いますか。

タスクシート2　新聞記事を読む

> 読む前に

1. 次のことばの意味や使い方を確認しましょう。
　① 英語必修化　② 楽しむ　③ 発音　④ 外国人教師
　⑤ 苦手　⑥ 劣等感　⑦ 文法中心　⑧ 効果
　⑨ 内容　⑩ 文化　⑪ 国語力　⑫ 見切り発車

2. 上にあげられたことばから、これから読む新聞の記事の内容を想像してみましょう。どのような内容の記事か、どうしてそのように想像したか、ペアやグループで話し合ってみましょう。

3. 下に新聞の投書欄の記事の見出しが4つあげられています。それぞれの見出しを見て、どのような内容の記事か、推測してみましょう。
　（ア）小学生に英語、もう不可避に　　（イ）母国語と文化、まず学ばねば
　（ウ）小学校で英語、効果が望める　　（エ）英語必修より教員の質が先

> 読みましょう

4. 次の（A）（B）2つの記事を読んで、上の4つの中のどの見出しの記事か考えてください。判断した理由もいっしょにあげてください。

5. (A)(B) 2つの記事について、みんなで話し合ってみましょう。
   ① (A)(B) は、それぞれ、どのような人の意見だと思いますか。
   ② (A)(B) の人は英語に苦手意識を持っているでしょうか。

6. (A)(B) 2つの記事について、「英語必修化」について、どのような意見が出ていましたか。賛成意見と反対意見に分けて整理してください。
   ほかに、どのような賛成意見や反対意見が考えられるか、ペアやグループで話し合ってください。

記事 (この投稿記事は実際の記事ではありません。サンプルとして筆者が作成したものです。)

(A) 先日、90％以上の公立小学校で、英語教育が既に始まっているという文部科学省の調査結果を新聞で読みました。私は小学校の英語教育に賛成です。なぜなら、中学校で急に英語の授業を始めるより、小学生のときから始めて、少しでも慣れておいたほうがいいと思うからです。
　小学校の英語の授業内容は、ほとんどの学校が「あいさつ」とか「自己紹介」とか、簡単な英会話で、「歌」を歌ったり、「ゲーム」をしたりすると聞きました。簡単すぎるかもしれませんが、英語を楽しむことができて、好きになることができるので、ちょうどいいのではないでしょうか。きっと効果があると思います。
　ただ、英語を教える先生のほとんどが学級担任というのが心配です。中学校、高校のように英語の専門の先生か、外国人の先生が教えたほうが、発音の面でもよいと思います。
　私は今学校で英語を勉強していますが、文法中心でおもしろくないです。成績も良くないので少し劣等感をもっています。英語が苦手だという友だちもたくさんいます。もし、小学校のときに英語を楽しく学んでいたら、もう少し英語が好きになったと思います。

(B) 数年前、夏休みに、私の所属している学校と姉妹校提携をしているオーストラリアの高校に行き、2週間教師同士の交流をしてきた。英語力には自信がなかったが、同じ教師同士すぐ打ち解けることができた。しかし、「ひな祭りとはどのような祭りですか」と聞かれたとき、うまく答えられなかった。何をどう話してよいかわからなくなってしまった。

> ところが、英単語がわからなくても、言うべきことがわかっているときには、たどたどしい英語でもちゃんと理解してもらえた。身振り手振りで伝えられるときもあった。結局、伝えたい内容が大切だと思った。
> 　英会話には、英語力よりもむしろ、伝えたいことをまとめる国語力と、さまざまな知識が必要だと思う。日本の文化を知らなければ、いくら英単語を知っていても、ちゃんと深い内容までは話せない。
> 　小学校の英語必修化は必要ないと私は思う。内容のほとんどない英語しか話せないということがないように、基礎となる国語力と文化に関する知識をまず身につけるべきだ。見切り発車には反対だ。

[読んだあとで]

7. あなたの考えを言ってください。賛成ですか、反対ですか。

コラム〜ディスカッション・ディベート・シミュレーション〜

　ディスカッションは、自分の意見を一方的に述べるだけでなく、ほかの人の話も聞き、その中で自分の主張を続けたり、相手の意見を受け入れて修正した意見を述べたりする活動です。しかし、自分自身の気持ちが入り込むことが多く、論理的に話を展開することが難しい場合もあります。そこで、擬似的に立場を与えられて、その上で、意見を述べる練習をすることがあります。**ディベート**や**シミュレーション**と呼ばれるものです。

　ディベートは、ある主題について、賛成と反対に別れて、一定のルールに従って討論するものです。論理を競うゲームなので、実際の自分の意見とは違う立場に立つ場合もあります。また、確かな論拠を示して、筋道を立てて話す必要がありますので、あらかじめ論拠となる記事や専門家の意見など証拠（エビデンス）を用意し、それをもとにチームの考えをまとめておく必要があります。通常は、チーム対抗で行います。また役割（立論、反論、最終弁論など）、人数、話す順番、それぞれの時間なども決められています。

　シミュレーションは、ある問題について討論するときに、あらかじめ自分の役割、立場が疑似的に決められた上で行うものです。たとえば、ある村に空港をつくる計画が持ち上がったとします。その村の村長、教育者、子どもを持つ親、商店の店主など、いろいろな立場の人がそれぞれの立場でいろい

ろな意見を主張することになります。学習者は、そのどれかの役割、立場を与えられ、それぞれの立場で意見を述べることを求められます。自然に賛成派、反対派に分かれることになりますが、最終的に妥協案を見つけることも可能です。

アドバイス

○ディベート、シミュレーションの参考図書
・バルダン田中幸子他（1989）『コミュニケーション重視の学習活動2 ロールプレイとシミュレーション』凡人社
・東海大学留学生教育センター口頭発表教材研究会（1995）『口頭発表と討論の技術-コミュニケーション・スピーチ・ディベートのために-』東海大学出版会
・佐藤喜久雄（1994）『国際化・情報化社会へ向けての表現技術3「伝える」「考える」ための演習ノート』創拓社

○＜発展編＞
・インプット中心の活動で、新聞記事（一般の人の意見）2種類を読んだ後に、さらに新聞記事（専門家の意見）を読む活動を取り入れると、より深い内容について考えることができます。147ページの図の、インプット中心の活動の部分は、以下のような流れになります。

インプット中心の活動

読む・書く：

・新聞記事①（一般の人の意見）2種類を読む
| 前作業 | キーワード、見出しから内容を推測する。
| 本作業 | 内容を把握する。意見を賛成、反対に分ける。
　　　　　記事の要点を整理して書く。
| 後作業 | 自分の意見を述べる。
　　　　　　　　　　　　　　　　　　　⇒タスクシート2

・新聞記事②（専門家の意見）を読む
| 前作業 | キーワードを整理する。
| 本作業 | 読んで内容を理解する。賛成、反対の考え方を整理し、

新聞記事①と比較する。記事の内容を賛成、反対意見に分けて整理して書く。

後作業 記事に対する自分の意見を、立場や根拠を明らかにして書く。

○アウトプット中心の活動で、ディスカッションの代わりに、前述のコラムで紹介したディベートやシミュレーションの活動を取り入れることもできます。

さいごに

この巻を通してお伝えしたメッセージは次の4点です。

1. 「課題」遂行を中心にシラバスを考えましょう。
2. 内容を重視した教え方を考えましょう。
3. その中で言語形式（語彙、文型や表現）への気づきをうながす活動を取り入れましょう。
4. インプットからアウトプットへ、多技能を統合した教え方を考えましょう。

注

*1：「みんなの教材サイト」 URL ＜ https://www.kyozai.jpf.go.jp/ ＞
*2：News Letter MADO Vol.25 Apr. 2006
　　URL ＜ https://www.jpf.org.uk/language/news_mado.php ＞
*3：依頼のメールを書くことになれていない学習者の場合は、メールの例（p.131）をあらかじめ渡してもよい。
*4：国際交流基金（2007）『エリンが挑戦！にほんごできます。』Vol.2 凡人社。この映像は、インターネット上の「エリンが挑戦！にほんごできます。」コンテンツライブラリー（https://www.erin.jpf.go.jp/）の「見てみよう」第16課「健康法」のページで見ることができる。映像の下にスクリプト（字幕）が出るが、消すこともできるので、1回目の視聴は字幕なしで、2回目は字幕ありで見るとよい。なお、この映像は、前半が幼稚園での乾布摩擦、後半が青竹踏みとなっている。この授業では前半の幼稚園での乾布摩擦の部分のみを使うことを前提にしているので、タスクシートの中で「DVD前半」と言っているのは、この幼稚園での乾布摩擦の部分のさらに前半という意味である。
*5：日本人は教師でもよい。日本人が近くにいない場合は、学習者同士で聞き合ったり、話し合ったりする。
*6：日本人が近くにいない場合は、可能であれば、ブログ等を利用して、作成したパンフレットに対して日本人の感想がもらえるように工夫する。

MEMO

《解答・解説編》

1 「中級」「上級」とは

1-1.「初級」「中級」「上級」を分ける基準

■【質問1】(本文参照)
■【質問2】(本文参照)
■【質問3】(本文参照)

1-2.「課題」遂行を中心にした能力基準

■【質問4】(解説)

　次の表は、日本語能力試験(旧試験)の級別認定基準である。こうした基準を参考にして各学年のレベルや達成目標が決められていた機関(学校)もあるかもしれない。

日本語能力試験(旧試験)の級別認定基準

1級	高度の文法・漢字(2,000字程度)・語彙(10,000語程度)を習得し、社会生活をするうえで必要な、総合的な日本語能力(日本語を900時間程度学習したレベル)
2級	やや高度の文法・漢字(1,000字程度)・語彙(6,000語程度)を習得し、一般的なことがらについて、会話ができ、読み書きできる能力(日本語を600時間程度学習し、中級日本語コースを修了したレベル)
3級	基本的な文法・漢字(300字程度)・語彙(1,500語程度)を習得し、日常生活に役立つ会話ができ、簡単な文章が読み書きできる能力(日本語を300時間程度学習し、初級日本語コースを修了したレベル)
4級	初歩的な文法・漢字(100字程度)・語彙(800語程度)を習得し、簡単な会話ができ、平易な文、または短い文章が読み書きできる能力(日本語を150時間程度学習し、初級日本語コース前半を修了したレベル)

　この表では、各級の記述の前半に、漢字や語彙の数が書いてあるが、後半に簡単ではあるが「できること」が書いてある。これを手掛かりに考えてみることができるだろう。

なお、本文で述べたように、2010年、「日本語能力試験」は、改定されて新しい試験（新試験）が実施されている。新試験では、レベルと出題基準が変更され、レベル別の学習時間や漢字数、語彙数などは発表されていない。『新しい「日本語能力試験」ガイドブック』では、新試験のレベルは旧試験と以下のように対応しているとしている。

N1：旧試験の1級よりやや高めのレベルまで測る。合格ラインは旧試験とほぼ同じ。
N2：旧試験の2級とほぼ同じレベル。
N3：旧試験の2級と3級の間のレベル。
N4：旧試験の3級とほぼ同じレベル。
N5：旧試験の4級とほぼ同じレベル。

　これを参考に、自分の学生が目指していたレベルが、本文10ページの表3「N1〜N5：認定の目安」ではどのように記述されているのかを確認してみてほしい。くわしくは日本語能力試験のサイト（https://www.jlpt.jp/）を参照のこと。

1-3.「中級」「上級」とは 〜「課題」遂行の観点から〜

■【質問5】（解答・解説）

C2　聞いたり、読んだりした ほぼすべて のものを 容易に 理解することができる。
C1　いろいろな 種類の 高度な 内容のかなり 長い テクストを理解することができ、含意 を把握できる。
B2　自分の 専門 分野の 技術的 な議論も含めて、抽象的 かつ 具体的 な話題の 複雑な テクストの 主要 な内容が理解できる。
B1　仕事、学校、娯楽で普段出会うような 身近な 話題について、標準的な 話し方であれば 主要点 を理解できる。
A2　ごく 基本的 な 個人的 情報や家族情報、買い物、近所、仕事など、直接的 関係がある領域に関する、よく使われる 文や表現が理解できる。
A1　具体的 な欲求を満足させるための、よく使われる 日常的 表現と 基本的 な言い回しは理解し、用いることもできる。

キーワードの変化については、本文解説参照。

2 「中級」「上級」の授業で教えること

2-1.「中級」「上級」のコースデザイン

■【質問6】（解答・解説）
「中級」「上級」の学習者のレディネス

　「中級」「上級」の学習者は、既に日本語の基礎段階の学習が終わり、日本語の知識をある程度もっている。ただし、第1章でも述べたとおり、学習した内容がすべて習得されるわけではないので、同じ期間、同じ教科書で学習しても、学習者の習得した知識には個人差がある。また、その知識を実際にどの程度使うことができるのかも個人差があり、技能（読む・聞く・話す・書く）によって能力差がある。さらに、「初級」の学習経験の違いが、学習スタイルや学習観に影響を与えている場合もある。

「中級」「上級」の学習者のニーズ

　「初級」の段階では、単に日本語に興味があるだけで学習を始めた学習者も、「中級」「上級」になって、学習目的がより具体的になる場合がある。日本の企業に就職したい、看護師になりたい、日本に留学して日本の経済について学びたいなど、目的がより明確になっている場合が多い。

2-2.「課題」遂行のコース目標

■【質問7】（解答）
　例1（B）　例2（C）　例3（A）

2-3.「課題」遂行を中心にしたシラバス

■【質問8】（本文参照）
■【質問9】（解答例）
①『みんなの日本語中級Ⅰ』スリーエーネットワーク

　タイプB：「話す・聞く」活動は、ことばの機能の学習、「読む・書く」活動は、さまざまな話題の読み物を、目的をもって読むことがめざされているので、タイプA、タイプBの両方であると言える。ただ、どちらかといえば、各課にことばの機能がバランスよく配分されるようになっているので、タイプBと考えられる。ことばの機能を

支える文法項目や、読み物を理解するために必要な文法項目の練習が、「話す・聞く」「読む・活動」の前に取り出されていることが特徴的である。

② 『ニューアプローチ中級日本語［基礎編］改訂版』AGP アジア語文出版

タイプB：ことばの概念や機能別に項目が立てられている。

③ 『文化中級日本語Ⅰ』文化外国語専門学校

タイプA：話題を中心に目標とする言語行動があり、関連する素材と、そこに含まれている文型や表現・語句が並べられている。

④ 『J. Bridge』凡人社

タイプA：話題を中心に目次が構成され、それに関連して文法や語彙の項目が並べられている。

⑤ 『日本語中級 J501 －中級から上級へ―教師用マニュアル』スリーエーネットワーク

タイプA：話題を中心に目標とする言語行動があり、それに基づいて学習する語項目が並べられている。「読む」活動が中心になっている。

■【質問10】（解答例）

(1) 日本に住む主婦

「話題・場面」

　　子育て（学校、塾、受験、習い事など）、家族（少子高齢化社会、介護など）、地域社会（ごみ捨て、ボランティア活動など）

(2) 日本国外の日系企業で働く会社員

「話題・場面」

　　労働（年功序列　実力主義など）、余暇（観光地、グルメ情報など）、健康（禁煙、運動、健康食品など）、環境問題（公害、エコなど）、政治、経済（総選挙、景気、デフレなど）

■【質問11】（解答例）

例1) (読む活動)「食べ物」や「食生活」に関する新聞記事、社説、投稿など（インターネット上の素材の利用も可能）を読んで理解する。／そこに書かれている意見や主張を整理してまとめる。

　　(話す活動) 読んだ内容をもとにディスカッションする／ディベートをする。

　　テーマ：食料自給率、孤食、食育など。

例2) (読む活動) 日本料理のレシピを読んで、材料や作り方を理解する。

　　(話す活動) 自分の国の料理の材料や作り方を日本料理と比較する。日本料理の特徴、自分の国の料理の特徴について話す／健康によいのはどちらかなど、健康を考えた上でどちらがよいか、なぜそう思うかを話し合う／なぜそのような材料を

使い、作り方をするようになったのか、自分の国と日本の風土や気候、生活習慣など、いろいろな角度から考えて意見を述べる。

例1）も例2）も、生の素材を利用している。文字や語彙が難しい場合には、インターネット上で利用できる「ふりがな」のツールや辞書ツールを利用させてもよい。

(p.120 参照)

■【質問12】（解答例）

＜読むもの＞看板、新聞、雑誌、小説、論文、専門書、操作マニュアル…

＜聞くもの＞ラジオ、テレビ、公共の場での放送、電話、会話、歌のＣＤ、ドラマや映画などのＤＶＤ…

■【質問13】（解答例）

読むもの		目的
看板		情報を取るため
新聞	時事記事	情報を取るため
	社説や意見を載せた記事	知識を得るため。考えの参考にするため
	連載小説	楽しむため
	4コマ漫画	楽しむため
	広告	情報を取るため
雑誌	特集記事	情報を取るため。楽しむため
	エッセイ	楽しむため。知識を得るため
	料理レシピ	材料や手順などの情報を取るため
	広告	情報を取るため
	占い	情報を取るため
小説		楽しむため。知識を得るため
論文		知識を得るため。考えの参考にするため
専門書		知識を得るため。考えの参考にするため
操作マニュアル		手順を知るため
料理の本		材料や手順などの情報を取るため

	聞くもの	目的
ラジオ・テレビ	ニュース	情報を取るため
	ドラマ	楽しむため。知識を得るため
	天気予報	情報を取るため
	バラエティ番組	楽しむため。知識を得るため
	コマーシャル	情報を取るため
CD・DVD	歌	楽しむため
	落語	楽しむため
	ドラマ・芝居	楽しむため
講義、講演		知識を得るため。考えの参考にするため
電話の相手・会話の相手の発話		情報・知識を得るため。楽しむため
駅の構内・デパートの中の放送		情報を得るため

■【質問14】（本文参照）

■【質問15】（略）

■【質問16】（解答例）

「部長に夏季休暇の日程の変更を頼む」という「目的」のために、モデル会話を覚えて演じた場合、会話の「目的」はあるが、相手の考えがすでにわかっているわけなので、「情報差」はなく、またことばも決まっているので、「選択権」もない。この会話が、非常によくある発話例であるとしても、活動としては、かなり本物らしさの程度は低いと言える。ロールプレイの場合は、「変更を頼む」側も頼まれる側も、どのような内容で、どのようなことばを使うかはそれぞれの役割の人が決めるので、「情報差」も「選択権」もある。従って、ロールプレイのほうが活動の本物らしさの点ではその程度が高いと言える。ただし、ロールプレイにもいろいろな形があり、断る理由や、上司がどういう態度を取るのか、あらかじめ決められている場合もある。このような場合は、「情報差」の点で本物らしさがやや低くなると言える。こうした会話の練習は、学習者のレベルなどを考えて、モデル会話を覚えることから始める場合もあるが、最終的には、できるだけ本物らしさの高いロールプレイのような活動をする必要がある。ロールプレイの実施方法は、「3-6．アウトプット中心の活動」ロールプレイを参照。

■【質問17】（本文参照）

■【質問18】（解答例）

5行目「うまくまとまったのではないかと思います」、6行目「調査の対象からはずしてもいいでしょう」、9行目「がんばりましょう」のように、目上の人に対して直接的な「ほ

め（評価）」、「提言」、「励まし」の表現を使っているために、失礼な言い方になってしまっている。

2-4.「読む」活動と言語知識や能力

■【質問19】（本文参照）
■【質問20】（解答例）

　この文章は、素材Aとは違って、「食文化」という一般的で抽象的な話題を取り上げ、さまざまな問題提起をしている。事実や情報を読み取るだけでなく、そこに含まれる意見や主張を理解する必要がある。文末表現などにも気をつけて、論理的な面を把握し、全体的な主張を把握する必要がある。

　語彙の面から言えば、「スローフード」「食の多様性」「危機感」など、抽象的な語彙がキーワードとなっているため、この文章を理解するには、そうした抽象的な語彙の知識が必要である。「出店」「流通」「外食」「消費」「大量生産」など、経済に関係する漢字熟語、「ファーストフード」「ファミリーレストラン」「チェーン店」「ブーム」など、日本では一般的に使われている外来語の知識も必要になる。また、「手軽に」「何気なく」「着実に」などの副詞の理解も必要になる。

　文法に関しては、「～をはじめ～」「～および～」「～一方で、～」などの事柄を並べるさまざまな表現が使われている。「～つつある」などのような改まった文章でしか使われない表現も理解できなければならない。

　段落同士の関係性は、「この方針が…」「この運動は…」というように文脈指示の「この」でつながれている部分がある。「この」が何を指すのかを理解する必要がある。

　なお、ここであげた項目は、一般的な例であり、初級段階でどのような学習をしてきたのか、どのような学習環境にあるのかなど、学習者によって、この課題達成のために新たに必要となる項目は当然変わってくる。

2-5.「聞く」活動と言語知識や能力

■【質問21】（本文参照）
■【質問22】（本文参照）

2-6.「話す」活動と言語知識や能力

■【質問23】（解答例）
　例1は、単純な文の羅列。また、場面として相手に配慮した話し方をしなくても大きな問題はないため、そうした配慮はしていない。初級のレベルで達成できる自己紹介といえる。それに対して、例2では、「申します」「おります」「いたします」などの、相手に配慮した謙譲語が使われている。また、1つの文が長く、複文になっている場合もある。こうした構造を発話で使えることが必要になる。さらに「また」などの接続の表現も使う必要もある。

■【質問24】（本文参照）

■【質問25】（解答例）
　13行目の「泊めてもらえることになったんです」は、センターに泊まれることをうれしく感じているという意味を表し、山下さんに失礼。また、14行目の「山下さんの家に泊まってあげますよ」は、恩着せがましい印象を与える。このように、授受表現は、いつ、だれに対して、どのように使えばいいかという問題に深く関わりがある。

2-7.「書く」活動と言語知識や能力

■【質問26】（解答例）
　このブログがどのような人を対象にして、どのような目的でつくられたものなのかにもよるが、一般の人を対象に、報告文を載せるのであれば、報告文らしい文体で書くべき。その場合、「～んです」といった表現は口語的なニュアンスをもつので、あまり使わないほうがよい。また、このブログが、同世代の若者向けに、堅苦しくない雰囲気のブログであったとすれば、「～んです」という表現を使うことも可能かもしれない。しかし、その場合でも、あまり連続して「～んです」を使ってしまうと、強調したい部分がわからなくなって、効果的な文章とは言えなくなる。

3 「中級」「上級」の教え方

3-2. 多技能統合型の授業デザイン

■【質問27】
　第4章の授業例1の授業の流れ（p.123）参照。

3-3. ウォーミング・アップの活動

■【質問28】（解答例）

第4章の授業例1のタスクシート1（p.124）参照。これは、環境問題についての簡単な意識調査に答えながら、語彙の導入もできるという例。

ほかにも、次のような活動が考えられる。

- 身近な環境問題について話し合う。
- 毎日の生活の中で、環境問題に配慮して行っていることについて話し合う。
- 環境問題から連想する語彙を書く。それを、ペアやグループで見せ合って、知らないことばについて説明し合う。
- 語彙クイズを実施する。

例）次の中から、例のように環境問題に関係することばを6つ探してください。（たて、横どちらでもよいです。）

```
あ い そ た か ん さ に
り し く や ん み な ご
さ げ か よ だ お り め
い ご よ た う り み た
く み と い ね け - て
る と き ず び る ま ち
      い っ - ふ
```

例：リサイクル

答え：資源ごみ
　　　二酸化炭素
　　　ごみ
　　　温暖化
　　　クールビズ
　　　フリーマーケット

3-4. インプット中心の活動

■【質問29】（略）

■【質問30】（略）

■【質問31】（本文参照）

■【質問32】（解答例）

① 活動H

② 車の部位（クラクション、ヘッドライト、ハザードランプ）とその働き（どんなときに使うか）

③ クラクション、ヘッドライト、ハザードランプ、コミュニケーション、合図など。

④「車（運転手同士）は、路上でことばを使わないで、どのようにコミュニケーションするのでしょうか。」

⑤ 活動D、E、C。Dの方がEよりもトップダウン的な読みを促進する。

⑥ D、Eのような質問を読みの前に与えることによって、読みの目的を明らかにしてから文章を読ませる。

・読解の過程で、学習者自身がわからない点を明確に把握することによって、読みの目的を持たせるようにする。具体的な手順として、質問Dを提示して1回目の読解を実施し、わかったことを言わせる。同時に、わからなかったことも出させて板書する。そして、次の読みでは、その答えを見つけるように指示して、2回目の読みを行う。

⑦ 本作業の中で、文章がだいたい理解できるようになった段階で行う。次のような質問をすることによって、未習語の意味を推測させる。答えは、母語を使ってもよい。ただし、直訳させるのではなく、意味を母語で説明させるようにする。

・「実際に街に出て走りながら身につける技術というのもある」の「身につける」の意味は何か。
・「大きな声でことばを交わすわけではない」とは、ことばをどうすることなのか。
・「音と光の合図で会話をする」の、「合図」の意味は何か。
・「狭い道などではヘッドライトを1、2回点滅させて対向車に道を譲り」の「狭い道で対向車に道を譲る」とはどのようにすることか。
・「無理にとなりの車線に割り込んだときには後ろの車に対してハザードランプを数回点滅させる」の「無理にとなりの車線に割り込む」とはどのようにすることか。

⑧ 活動F、A、B、G

⑨ 活動A、B、G

■【質問33】（略）辞書の使い方についての説明は本文解説参照

■【質問34】（解答例）

素材A（本の料理レシピ）

○前作業

・肉じゃがの出来上がりの写真を見せて、肉、じゃがいも、にんじん、さやいんげんなどの材料を見つける。また、どんな料理か、どうやって作るのか、自分の国に似た料理があるかなどについて話し合う。

・肉じゃがを作っている5枚の写真だけを見ながら、何をしているか説明してみる。説明しながら、次の語彙を知っているか確認する。〔皮をむく、切る、ゆでる、煮る、入れる〕

○本作業

・作り方の説明文の番号を消してばらばらにしたものを、グループ（4〜5人）に与える。グループのメンバーで作り方の説明を読んで、どの写真についての説明かを考える。後で、クラスで答えを確かめる。そのとき、どの単語や表現を手がかりに写真と説明文をマッチングしたかを確かめる。

・写真と文（説明）を比べながら、ていねいに読む。その際、読解のポイントを質問の形

で与えておくとよい。

例）じゃがいもは切ったあと、どうしますか。

肉がかたまりにならないようにするためには、どのようにすればいいですか。

わからない語彙や表現があったら、できるだけ推測するようにし、グループのほかのメンバーと相談する。推測してもわからない場合は、辞書で意味を確認する。

○後作業
・構文に注意するために、次のような問題の空所に入ることばを考える。

| さやいんげんは、へたと筋が＿＿＿＿、とります。熱湯で＿＿＿＿、色があざやかに＿＿＿＿、ざるに＿＿＿＿、広げてさまします。2～3cmの長さ＿＿きります。しょうがは、皮をこそげて薄切り＿＿します。肉は、3cm＿＿切ります。 |

・写真だけを見て、作り方を説明する。
・実際に料理を作って食べてみる。（授業の後で家で行う）

料理のレシピは、文型や文の構造は比較的単純だが、料理特有の語彙が多い。材料やその部分の名前、料理独特の動詞表現、料理に関係するやや専門的な語彙があるので、本文の理解にそって、段階的に提示する。なお、語彙をどの程度までていねいにあつかうかは、課題によって異なる。課題が「料理の作り方の概要理解」だけなら、絵と文をマッチングさせる段階の理解でとどめ、わからない語彙を推測するストラテジーや、詳細な語彙はわからなくても読み飛ばすというストラテジーが必要になる。

素材B　食生活を見直そう

○前作業
・昔と比べて食生活が変化している点、また、現代の食生活と伝統的な食生活の違いについて話し合う。
・次のことばの意味を確認し、それらが生活にどのような影響を与えたか話し合う。
　　〔コンビニ、ファーストフード、ファミリーレストラン〕
・「スローフード運動」とは、どのような運動なのか名前から予測する。
○本作業
・次の質問を与えてから、1回目の読解を行う。
　①この文章ではどのように「食生活を見直そう」と言っているのですか。
　②スローフード運動とは何ですか。

③スローフード運動は、どんな背景から生まれ、何を目指しているのですか。
・それぞれが読んだ後で、①～③までの答えをクラスで出し合う。よくわからない点は何かを明らかにして、その答えを探すために、2回目の読みを実施する。読んだ後、クラスで答えを共有する。
・細部の理解を問うために質問を与える、例のような○×問題を作ってやらせてもよい。○×問題は、学習者に段落ごとに分担させて作らせることも可能。(問題を作るためには、文章をよく読まなければならないので、詳細な理解につながる。)
　　例：①スローフード運動は、アジアで始まった。（　　）
　　　　②スローフード運動がはじまったきっかけは、ファーストフード店ができたことである。（　　）
　　　　③スローフード運動は、あまり広がらなかった。（　　）
　　　　④ファーストフード店が増えても、各地域の伝統的な食文化は変化しなかった。（　　）

・未習語（太字）の意味を文脈から推測させる。
　　①漢字熟語の推測：漢字熟語は、漢字の意味からも推測が可能。間違ってもかまわないので、積極的に推測させるようにする。
　　　例：その国 **独自**の食文化、その文化を作り上げている**要素**は幅広い、ファーストフードの**出店**をきっかけに、団体が**設立**された、食文化についての**危機感**があったのだろう、同じ食べ物が**手軽**に食べられる
　　②和語（太字）の推測：文脈から意味を推測させる。推測しても分からなければ、最後は辞書をひかせてもよい。
　　　例：伝統的な食は隅に**追いやられる**、食の多様性が**失われる**、食卓を**囲む**

○後作業
・自分の国の食文化を見直したり、守ったりするためには、どんなことをすればいいか話し合う。
・読解文の空白埋め（定着させたいことばに焦点を当てる）
　　例：同じアジアでも日本とまったく同じ食文化の国はないのだから、それがヨーロッパの国ならば、ずいぶん（　　　　　）。ヨーロッパのイタリアの地方都市で、1986年にファーストフードの出店を（　　　　　）に、食文化を見直そうという運動が始まった。そして89年には『スローフード協会』という団体が（　　　　　）された。

■【質問35】（本文参照）
　（解説）
　　ピア・リーディングには、大きく分けて2種類ある。1つは、この練習Aのように、同じテキストを読み、それについてピアで対話することによって、理解過程を共有しようとするもの（プロセス・リーディング）。プロセス・リーディングには、1文1文読み進めながら学習者同士が対話を通じて理解を確認する方法もあるが、時間がかかるため、はじめは個人作業を課し、そのあとで理解の過程を共有するやり方が一般的。ピア・リーディングのもう1つのタイプは、練習Bで紹介するジグソー・リーディング。

■【質問36】（本文参照）
■【質問37】（解答例）
① 前作業のほかの方法としては、次のようなやり方が考えられる。
・「屋上の緑化」の写真（インターネット上の写真を利用）を見せて、何の写真か、何のために行っているのかなど話し合う。写真があると、具体的にイメージできるので効果的である。このような活動を通して、背景知識を活性化させ、テキストの内容を予測できるようにする。
・「屋上緑化」というタイトルから思い浮かべることばを言わせる。これによって、キーワードをある程度確認するとともに、テキストの内容を予測できるようにする。

② 本作業1の質問例
・「ヒートアイランド現象」とは何のことか
・「屋上の緑化」は何のために行うのか
・「屋上の緑化」をすると、どんな効果が期待できるのか

③ 本作業4の質問例
・夏の都市の中心部の気温は、どこと比べて高くなっているのか
・都市では、人口がどうなっているのか
・車やエアコンなどによってエネルギーがどうなるのか

④ 後作業1の話し合い活動の内容例
・あなたの国でも屋上の緑化やビルの緑化が進められているか
・ヒートアイランド現象をなくすためにほかにどんな工夫があるか
・地球の温暖化を防ぐためにはどんなことができるか

⑤ 後作業2のスクリプトの空白埋め

> みなさんはヒートアイランド現象ということばを聞いたことがありますか。ヒートアイランド現象は夏の_____の中心部の気温が_____に比べて非常に高くなる_____です。都市には人口が_____しています。また、車やエアコンなどによって膨大なエネルギーが_____されています。これによって、都市の_____現象が起きているのです。

【質問38】

本作業2、3の段階で行う。詳細は、本文解説参照

【質問39】（解答例）

① 背景知識を活性化する。また、学習者が持っている現在の運用力で話せることは何か、上手に話せないことは何か（自分の日本語の不完全な点）に気づかせるため。
② 学習者同士で理解の過程を共有することによって、聴解のストラテジーや言語知識を学び合うため。
③ 聴解から学んだ国際結婚の賛否についての理由を参考にして、また必要な言語形式を取り入れた発話が行えること。つまり、1の段階の日本語より、内容的にも形式的にもブラッシュ・アップをした日本語でのアウトプットが行えること。

【質問40】

素材G　リサイクル

○前作業

・リサイクルできるものには、どのようなものがあるか話し合う。また、次のものの中から、リサイクルできるものを選ぶ。絵や写真があればよい。〔古紙、ガラスびん、生ごみ、あき缶、ペットボトル、古タイヤ、洋服、家電製品、皮製品〕

・リサイクル品の回収は、どこで、どのように行われているか話し合う。（「リサイクル」「回収」の意味を確認する）

○本作業

・次のような基本的な情報を聞き取る。
　例：「何をリサイクルするのか？」「どのようにリサイクルするのか？」「いつからするのか？」

・1回目の聞き取りのあと、わかったことを発表させ、聞き取れなかった点を明らかにする。2回目の聞き取りでは、1回目の情報では聞き取れなかった周辺情報を中心に聞き取る。
　例：「リサイクルルート作りに参加するスーパーやコンビニエンスストアの数、それは都内の店全体の何割か？」「10月から参加する店の数は？」

- 未習語（太字）を文脈から推測させる。

　例：「東京都は、販売業者が**店頭**で回収するという案を出していました」の店頭の意味は何か。「ペットボトルのリサイクルは4月から**実施**されます」とはリサイクルがどうなることか。「回収ボックスのデザインを**そろえる**など、準備に時間がかかるため」とは、デザインをどうするのか。

○後作業

- 「自分の国にもリサイクルのニュースがあるか」「それはどんなニュースか」について話し合う。

- 報道するときの表現に注意させる。

　例：「東京都は〜発表しました」「東京都は〜という案を出していました」「東京都は〜力を入れてきました」

　文末に注意して聞くように指示し、その後で、聞き取ったことをもとに、アナウンサーになってレポートするというロールプレイをしてもよい。

- ごみやリサイクルを話題にしたニュースがほかにあるかウェブサイトで調べてみる。自国のニュースでも日本のニュースでもよい。そして、わかったことを、報告し合う。

素材H　交通事故

○前作業

- 高速道路と、それに平行して走る国道の絵を描いて、次の語の意味を推測させたのち、確認する。〔中央分離帯、対向車線、上り線、下り線、インター、渋滞、平行〕

- 高速道路での事故について知っている例を話し合う（母語でもよい）。その中で必要な語彙（日本語）を確認する。また、ウェブサイトで検索（「交通事故」で検索）した交通事故の見出しを見せて、どんな事故か話し合う。さらに、事故の写真があれば、見出しをつけてみるのも楽しい。

　見出し例：「国道にマヨネーズ、7台が転倒・追突」「酒気帯び運転：玉突き事故」「高速道路で車とクマが衝突」「真夜中のトンネル事故：渋滞解除まで10時間」

- 自国の交通事故のニュースを思い出し、「いつ」「どこで」「どのように」起こったのかという基本情報はニュースのどの部分で語られるか、基本情報以外には、どのような情報が語られるのか話し合う。

○本作業

- はじめの段階では、事故が「いつ」「どこで」「だれ/どの車が」「どのように」起こったのか、その影響で「どうなったか」、基本的な情報を聞き取る。

- 次の段階として、事故が起こったくわしい状況を聞き取って図示させる。わからない場合は、聞き取れたことばをメモさせ、推測したことを話し合ってから、再度音声を

聞く。その際、〔トレーラー、パンク、バランス、中央分離帯、激突、積荷、落下、乗用車、下敷き〕などのことばが聞き取れるかどうか、意味が推測できるかに注意する。

○後作業
・事故の状況を解説する表現に注意させる。
　例：「通行止めが〜解除されました」「これはきのう、〜ものです」「これまでの調べでは、〜ものです」

・自国の交通事故のニュースを新聞やウェヴサイトで調べる。できれば、上の例の事故の状況を解説する表現を使って、どのような事故か、日本語で報告する。

＊このニュースは漢字の熟語が多く、事故のニュースをはじめて聞く学習者には難しいことが予想される。交通事故の見出しを使っていねいに前作業を実施する必要がある。中級前期の学習者であれば、詳細な内容が聞き取れなくてもよい。

■【質問41】（本文参照）

3-5. 語彙や文型・表現の練習

■【質問42】（解答例）
① ・文章がだいたい理解できるようになった段階で、「…からといって〜わけではない」を含む文に下線を引かせるなどして注目させ、意味・用法についてクラスで話し合う。母語を用いてもよい。
　・語彙の場合も文章がだいたい理解できるようになった段階で、重要な語彙（未習語と思われるもの）を含む文に注目させ、意味を推測させる。具体例は、【質問32】⑦の解答例を参照。
　・言語知識が限られている初級の場合、文型や語彙の提示は、読解の前に行われることが多いが、「中級」「上級」の場合は、読解の過程で意味を推測させることができる。
② ・「…からといって〜わけではない」を使った例文をいくつか与えて、意味・使い方の理解を深める（p.55【質問30】Aの練習）。さらに、文作成（p.55【質問30】Bの練習）など、産出の活動を行う。
　・語彙：例文を使った空白埋め（p.57【質問30】Gの練習）など、産出の活動をする。
③　解答略

■【質問43】（解答例）
① 聴解1と2の目的は内容の理解。聴解3の目的は、言語形式への気づきをうながすこと。
② 下線に入ることばを考えさせてから音声を聞かせる場合、学習者は、まず、自分が

持っている言語知識を使って、日本語でどう表現すればいいかを考える。その際、自分で言えることと言えないことのギャップに気づく。そのあとで、音声を聞くと、自分の表現が正しかったかどうか、違っている点はどこかについて確かめようとするので、より注意深く聞くようになる。詳細は本文解説参照。

【質問44】

① 練習E、Fは、Dに比べて負担が少ないので、練習のはじめの段階ではE、Fの方がよい。

② 学習者の背景知識で理解できる文であることが必要。用例辞典の例文を使用する場合はこの点に注意する。たとえば、雨季についての背景知識がない国の学習者の場合、「雨季だからといって、一日中、雨が降るとは限らない」ということは理解できないので例文として出さない方がよい。

③ よい点：いろいろな用例が示せる。

不足している点：文単位の練習でしかないので、なかなか実際のコミュニケーションで使えるようにならない。

【質問45】（本文参照）

練習G

(1) A: 最近、バスや電車の中で、お化粧をしている人をときどきみかけますね。規則違反ではないですが、どう思いますか。

B: 規則違反でないからといって、何をしてもいいわけじゃないと思います。

A: そうですか。

B: 見ていていやだし、マナーは守るべきではないでしょうか。

(2) A: 雨季って毎日雨が降るのでしょうか。

B: 雨季だからといって、毎日、雨が降るわけではないです。

それに、一日中というわけではないです。

雨が降るのは、たいてい、夕方です。

A: そうですか。

B: はい、だから、夕方、傘を持っていれば大丈夫です。

A: そうですか。

【質問46】（本文参照）

【質問47】（解答例）

（電車の中でお年寄りに）席を譲る、（孫に）財産を譲る、（子どもに）家を譲る、（息子に）社長の地位を譲る

このように、「譲る」と結びつくことばを知ることによって、譲るの意味が明確になる。

【質問48】（本文参照）

【質問 49】（本文参照）
練習 L

<内容メモ例>

```
         コミュニケーション    運転手同士　大きな声　ことば　交わす
                    ↓
              音と光　　合図　　会話
   狭い道　対向車　道を譲る・・・ヘッドライト　点滅　→　　どうぞ
   すれ違う・・・・・・・・・・クラクション　鳴らす　→　ありがとう
   隣の車線　割り込む・・・・・ハザードランプ　点滅　→　すみません
```

<口頭要約例>

　コミュニケーションといっても、運転手同士が窓を開けて大きな声でことばを交わすわけではありません。音と光の合図を使って会話をするのです。
　たとえば、狭い道で対向車に道を譲るとき、ヘッドライトを2、3回点滅させます。譲ってもらったほうは、すれ違うとき、クラクションを鳴らします。また、となりの車線に割り込むときは、ハザードランプを点滅します。
　この3つは、教習所で習ったものとは違います。でも、実際は、このような方法で、「どうぞ」「ありがとう」「すみません」という気持ちを伝えているのです。

<コメント例>

　光と音にこのような意味があったと知ってびっくりしました。そして、光と音以外にも、コミュニケーションの手段があるのではないかと思います。たとえば、手をあげるなどのジェスチャーで、「すみません」「どうぞ」などの意味を伝えることもできると思います。このようなことばを使わないコミュニケーションは、運転手同士だけではなく日常の生活にもあります。たとえば、外国に行ってことばがわからないときも、身振りでコミュニケーションができることもあります。このようなことは、大変便利だと思います。

3-6. アウトプット中心の活動

【質問 50】
① (略)

② (解答例)

観点	ロールプレイA	ロールプレイB
表現（語彙や文型）の導入・練習	会話(ロールプレイ)をする前にクラスで練習する。	会話(ロールプレイ)の前には教えない。自分で考える。そして、一度ロールプレイをやったあとで、自分に必要なものを練習する。
会話モデルの利用法	会話の流れをまねするために利用。会話をするまえに、会話モデルを聞く。	自分で実施した会話と比較するために利用。会話をしてから聞く。
学習者の気づき	あまりない。（語彙・文型を練習して会話モデルをまねるだけ。）	重視される。自分に不足している点を自分で発見する。

③ 実際の会話では、学習者は、会話の目的を達成するために文法知識や談話能力や社会言語能力を使って、言語形式を選び、会話を組み立てていく。学習者に、はじめから表現と談話例を与えて練習させる練習Aでは、自分で言語形式を選んだり談話構成を考えたりする必要がないので、これらの能力を養成することができない。

また、会話の進行中、相手の反応に応じて、会話を調整していく力や、コミュニケーションストラテジーの適切な使用も、表現や談話例を先に練習するだけでは養われない。

【質問51】(解答例)

(1) 会話を録音したものを学習者に聞かせたり、それを文字化したりしたものを見せて、学習者自身でおかしいところを訂正させる。

(2) (1)をモデル会話と比較させる。

(3) (1)(2)で気づかない場合は、「●●の表現に注意してみましょう」などの、具体的なヒントを与える。

(4) (1)(2)の作業を、個人ではなくグループで実施する。

(5) 最後の手段として、教師が修正すべき点とその理由を説明する。

【質問52】(解答・解説)

① 絵といっしょに、教師が使わせたい語彙・表現をキーワードとしてあらかじめ与えておく。キーワードは学習者のレベルから判断する。

②③は、本文解説参照。

＜モデルストーリーの例＞

(女) 今朝のことなんですけど、買ったばかりの靴をはいて電車に乗って会社に行きました。ところが、電車を降りようとしたとき、あわてていて、片方の靴が脱げて、電車とホームの間に落ちてしまったんです。大急ぎで、片足でピョンピョン跳びなが

ら駅員さんのところへ行って、「線路に落ちた靴をとってください。」と頼みました。駅員さんは長い棒の先がはさみのようになっている道具を持って来て、拾ってくれました。「助かりました。本当にありがとうございます。」って、お礼を言いました。本当に、よかったです。これから、新しい靴をはくときは気をつけようと思います。

(男) 今朝のことなんですけど、女性が、片方だけ靴をはいてピョンピョン跳びながら大あわてでやってきたんです。「どうしたんですか。」と聞くと、「靴が線路に落ちちゃったから、拾ってください。」って言われました。びっくりして、落し物を拾うときに使う長い棒を持って行って、いっしょに線路を見て靴を探しました。すぐ近くに落ちていたので、拾ってあげました。女性は、とてもよろこんで、ていねいにお礼を言ってくれました。きのう買ったばかりの靴で、電車をおりようとしたとき、脱げて、電車とホームの間に落ちてしまったそうです。いろいろな人がいるものですね。

【質問 53】（本文参照）
【質問 54】（解答例）

たとえば、次のような観点からの評価が考えられる

内容：話の内容（だれが いつ どうしたか）がわかりやすいか

談話構成：一連の話としてのまとまり、つながりがあるか。そのための接続表現の使用は適切か

正確さ：語彙や文法の誤りがないか

流暢さ：沈黙してしまったり、あまりつまったりせずに、なめらかに話せるか

【質問 55】（本文参照）
【質問 56】（解答例）

私の長所のアピール、最近聞いたニュース、私の住んでいる町、教育制度など。学習者が関心を持って話せるものなら話題はなんでもよいが、以前に読解や聴解などで触れた話題で、語彙や表現で難しいものがないことが条件。

【質問 57】（本文参照）
【質問 58】（解答）

読解活動の後作業の段階で実施できる。

【質問 59】（解答例・解説）

① たとえば、次のようなステップが考えられる。

まず、相手が書いた文章を読んで

1. おもしろいところ（印象的なところ、興味や関心があるところ）を言う。

それから、お互いに次のことを話し合う。

2. もっと説明してほしいところを言う。

3. わかりにくいところ、直したほうがいいところを言う。

4. 相談したいことや、参考になる情報があれば言う。

本シリーズ第8巻『書くことを教える』より

② 本文解説参照。

③ 発表の後の段階で行う。評価基準を明らかにして、自己評価をさせるとともに教師からも評価を与える。内容面と形式面の両方から評価することが必要。評価シートは、【質問64】の評価シート例を参照。

書く内容を整理するときに「思考マップ」を利用するとよい。紙の中央にトピックを書き、頭に浮かんだことをどんどん書く。そして、関係のあるものをつなぎ、カテゴリー化する。この中から、書く内容を絞り込み構成を考える。詳細は、本シリーズ第8巻『書くことを教える』参照。

【質問60】（解答例）

まず、お互いのアウトラインを理解し合う。そのために、

1. 書き手は自分のアウトラインを説明する。
2. 読み手は、よくわからなかったことを、質問する。
3. 書き手はそれを聞いて、読み手に対する説明を補足する。

次に、お互いに何を書こうとしているかが理解できたら、次のことについて話し合う。

1. いいところを言う。
2. 改善した方がいいところを言う。

そして、話し合いに基づいてアウトラインを修正する。

ただし、アウトラインの作成、原稿の推敲の両方にピア活動を取り入れると、時間がかかるので、「書く」こと全体の授業計画の中で、適当な時期に取り入れる。

【質問61】

◆メールを書く

○前作業

- 課題を見て、どのような情報を入れる必要があるか、どのような構成で書けばよいかについて、クラスや学習者同士で話し合う。その後、1人1人で、メールを書いてみる。
- モデルのメールを見て、件名の書き方、構成、言語形式（とくに待遇表現）について、自分が書いたものと比較して、気づいたことを発表する。クラスでポイントをまとめる。このとき、モデルの表現以外でも使える表現があるか考える。

○本作業

- 実際に自分が推薦状を依頼する場合（大学院入学のための推薦状、大学や大学院の

研究生になるための推薦状、通訳・ガイドのアルバイトをするための推薦状、日本語教師として就職するための推薦状など）を想定して、メールを作成する。
- 学習者同士で読み合って、内容が明確に伝わるか、構成はよいか、待遇表現は適切かについてコメントし合う。

○後作業

教師宛に、作成した推薦状の依頼文（メール）を送る。教師は、学生から送られたものを読んで、問題になる点があればフィードバックを与える。

◆ 報告書（レポート）を書く

○前作業
- 実際に身近にある報告書（レポート）の例を読んで、内容をレポートのフォームにまとめる。わからない点があったら学習者同士で話し合う。後で、クラスで確認する。
- 論旨が明確か批判的に読む。とくに、①背景と目的がつながっているか、②目的・課題が明確か、③方法は課題に合っているか、④内容で述べられていることの根拠（データや資料）が明らかか、⑤まとめは課題に答えているか、⑥わからなかったことが今後の課題として書かれているかなどをチェックする。よくない点があれば、どうすればよくなるか考える。
- 言語形式に注目する。事実を述べる表現、意見を述べる表現、根拠を述べる表現、引用の表現など。

○本作業
- アウトラインを書く。できれば、アウトラインについて学習者同士で説明し合い、筋が通っているかどうかチェックし合う。
- 実際に報告書を書く。その後で、学習者同士で読み合って、わからない点を質問し合うことによって、改善すべき点を知る。
- 推敲し、清書する。清書する前に、日本人の知り合いがいれば頼んで日本語をチェックしてもらう。

○後作業
- 評価シート（【質問64】（本文および解答例参照）を見て、学習者が自己評価する。このとき、必ず内容面と形式面の両方を評価するようにする。
- 教師に提出する。教師は、同じ評価シートを使って評価、コメントする。

なお、本文のレポートのフォームは、どちらかと言うと学術的なレポートを想定したもので、出張報告のようなものは構成が異なる点に注意。学習者の報告目的に合ったフォームを用意すること。

3-7. 活動の評価とふり返り

■【質問 62】（略）

■【質問 63】（解答例）

達成度 評価項目	努力が必要 1	もう少しで目標を達成 2	目標を達成 3	目標を大幅に達成 4
流暢さ・発音	しばしば間があいたり、言いよどんだりする。発音の面で、わかりにくいところがあり、そのため内容がよく理解できない。	ときどきまちがえたり、言いよどんだりする。少しわかりにくい発音はあるが、意味の理解には問題がない。	少しゆっくりだが、大きな間があくことはなく、はっきりとした発音で話すことができる。	自然に近いスピードで、はっきりとした発音で話すことができる。

また、聞き手に配慮した発表のストラジーを付け加えることもできる。内容としては、相手の反応を見て、ことばをくり返したり、ほかのことばで言い換えたりして、わかりやすく説明できるかどうか。また、質問に対して、適切に答えられるかどうか。

■【質問 64】（評価シート例）

達成度 評価項目	がんばって 1	もう少し 2	できた 3	すばらしい 4
内容	どのような人か、なぜ大切なのかが、漠然としている。全体的に説明不足でわかりにくい。	どのような人か、なぜ大切なのかが、だいたい理解できる。ただし、よくわからない点がある。	どのような人か、なぜ大切なのかが、十分に書かれていて、わかりやすい。	どのような人か、なぜ大切なのかが、詳細に書かれている。さらに、その人が魅力的に紹介されている。
構成	全体としてばらばらで、文章としての構成がない。	文と文の関係や、段落構成でわかりにくい部分もあるが、だいたいの流れはわかる。	文と文の関係、段落の構成が適切でわかりやすい。	段落構成が効果的である。強調したい部分や、それを補強するための具体例（エピソード）などが効果的に配列されている。
語彙・文法・表記など	語彙、文型、表現などに誤りが多いため、文が理解しにくい。表記にも間違いが目立つ。	部分的に語彙が不適切だったり、文法的な誤りもあったりするが、文の理解に影響を与えるほどではない。	このトピックに関連した語彙、文型、表現などが正確に使われている。表記にも大きな間違いがなく、文体も適切である。	このトピックに関連した語彙、文型、表現が正確に使われているうえに、複雑な構文も効果的に使われている。間違いがなく、表記や文体も適切である。

■【質問 65】（解答例）

「今後、あなたにとって課題となるのは、どのようなことですか。」などと、今後の課題を考えさせるとよい。さらに、「あなたの日本語力の向上に役に立ったのは、どの活動ですか。また、それはどうしてですか。」などのように、自分の学習スタイルや学習ストラテジーを考えさせる質問を入れてもよい。また、ピア活動を取り入れる場合は、「クラスメートとの話し合い活動では、どのような発見がありましたか。」のような質問を加え、自分の学びをふり返らせるとよい。

3-8. いろいろなリソース

■【質問 66】（解説）

ここでは、学習者のまわりにある多様な日本語の生素材に気づいてもらいたいと思っている。生素材というと、モノに注目しがちだが、ヒトやコトについても考えてみてほしい。たとえば、日本人をゲストスピーカーとして教室に招くことができれば、インタビュー活動やディスカッションに参加してもらうことができるし、ゲストとして学習者の発表を聞いてもらいコメントしてもらうということも可能。活動例は第4章を参照。ヒトは日本人だけではなく、「日本語を使える人」という観点から考えることができれば、可能性が広がる。たとえば、同じ学校や機関で日本語を学ぶより日本語が上手な学生や、実際に社会で日本語を使って活躍している先輩をクラスに招くこともできる。トムソン木下千尋（2009）に実践例の紹介があるので参照するとよい。

学校や地域で日本文化祭のような催しがあれば、そこでは、日本語を使うだけでなく、日本の文化にも触れ合うことができる。最近は、カラオケコンテストなどの催しでJポップを楽しむ世代も増えてきている。スピーチコンテストや作文コンテストなどに加えて、自作4コマまんがコンテストなども考えられよう。

このようなモノ、ヒト、コトに注目して日本語を使う環境を整えるのも教師の大切な仕事と言える。

【参考文献】

池田玲子 (1999)「ピア・レスポンスが可能にすること－中級学習者の場合－」『世界の日本語教育』9号、29-43、国際交流基金日本語国際センター

池田玲子・舘岡洋子 (2007)『ピア・ラーニング入門－創造的な学びのデザインのために－』ひつじ書房

王璐 (2008)「「モニター」ストラテジー指導を初級聴解授業に取り入れる試み－「質問」の活動を通して－」『日本言語文化研究会論集』4号、89-115、日本言語文化研究会

大関浩美 (2010)『日本語を教えるための第二言語習得論入門』くろしお出版

岡崎眸・岡崎敏雄 (2001)『日本語教育における学習の分析とデザイン－言語習得過程の視点から見た日本語教育－』凡人社

川村よし子 (2009)『チュウ太の虎の巻　日本語教育のためのインターネット活用術』くろしお出版

鎌田修・嶋田和子・迫田久美子（編）(2008)『プロフィシェンシーを育てる－真の日本語能力をめざして－』凡人社

北條淳子 (1989)「中・上級の指導上の問題」寺村秀夫（編）『講座　日本と日本語教育13　日本語教授法（上）』238-267、明治書院

小池生夫・寺内正典・木下耕児・成田真澄（編）(2004)『第二言語習得研究の現在－これからの外国語教育への視点－』大修館書店

国際交流基金・日本国際教育支援協会(2009)『新しい「日本語能力試験」ガイドブック』国際交流基金、日本語国際教育支援協会

国際交流基金 (2017)『JF日本語教育スタンダード［新版］利用者のためのガイドブック』国際交流基金

国立国語研究所 (2006)『世界の言語テスト』くろしお出版

小森和子・三國純子・近藤安月子 (2004)「文章理解を促進する語彙知識の量的側面－既知語率の閾値探索の試み－」『日本語教育』120号、83-92、日本語教育学会

小柳かおる (2004)『日本語教師のための新しい言語習得概論』スリーエーネットワーク

舘岡洋子 (2004)「対話的協働学習の可能性－ピア・リーディングの実践からの検討－」『東海大学紀要留学生教育センター』24号、37-46、東海大学留学生教育センター

舘岡洋子 (2005)『ひとりで読むことからピア・リーディングへ　日本語学習者の読解過程と対話的協働学習』東海大学出版会

立松喜久子 (1990)「上級学習者に対する読解指導」『日本語教育』72号、136-144、日本語教育学会

トムソン木下千尋 (2009)『学習者主体の日本語教育－オーストラリアの実践研究－』ココ出版

縫部義憲（監）・水町伊佐男（編）(2005)『講座　日本語教育学4　言語学習の支援』スリーエーネットワーク

藤原雅憲・籾山洋介 (1997)『上級日本語教育の方法』凡人社

牧野成一（監）(1999)『ACTFL－OPI試験官養成用マニュアル』ALC Press

水谷信子（2007）『日本語の教室作業－プロ教師を目指すための12章－』アルク

三牧陽子（1996）『日本語教師トレーニングマニュアル⑤　日本語教授法を理解する本　実践編』バベル・プレス

村野井仁（2006）『第二言語習得研究から見た効果的な英語学習法・指導法』大修館書店

Council of Europe　吉島茂・大橋理枝他（訳・編）（2004）『外国語教育Ⅱ　外国語の学習、教授、評価のためのヨーロッパ共通参照枠』朝日出版社（Council of Europe (2002) *Common European Framework of Reference for Languages: Learning, teaching, assessment, 3rd printing*, Cambridge：Cambridge University Press.）

I.S.P ネーション・吉田晴世・三根浩（訳）（2005）『英語教師のためのボキャブラリー・ラーニング』松柏社（Nation, I.S.P. (2001) *Learning Vocabulary in Another Language*, Cambridge：Cambridge University Press.）

Nation, I.S.P. (2009) *Teaching ESL/EFL Reading and Writing*, New York：Routledge.

Nation, I.S.P. & Newton, J. (2009) *Teaching ESL/EFL Listening and Speaking*, New York：Routledge.

Stempleski, S. & Tomalin, B. (1990) *Video in Action*：Recipes for Using Video in Language Teaching, London：Prentice Hall International.

【引用教材等】

犬飼康弘（2007）『アカデミック・スキルを身につける　聴解・発表ワークブック』スリーエーネットワーク

岡崎志津子・小西正子・藤野篤子・松井治子・松永雅子（1987）『ロールプレイで学ぶ会話(1)　こんなとき何と言いますか』凡人社

荻原稚佳子・増田眞佐子・齋藤眞理子・伊藤とく美（2005）『日本語上級話者への道　きちんと伝える技術と表現』スリーエーネットワーク

小柳昇（2003）『ニューアプローチ中級日本語　基礎編改訂版』AGP アジア語文出版

小柳昇（2002）『ニューアプローチ中上級日本語　完成編』日本語研究社

国際交流基金（2007）『DVDで学ぶ日本語 エリンが挑戦！にほんごできます。』Vol.2，凡人社

国際交流基金（2008）『日本語教師必携　すぐに使える「レアリア・生教材」コレクション CD-ROM ブック』スリーエーネットワーク

小山悟（2009）『J. Bridge　新装版』凡人社

三井豊子・堀歌子・森松映子（1998）『中級用聞き取り教材 ニュースで学ぶ日本語パートⅡ』凡人社

宮城幸枝・三井昭子・牧野恵子・柴田正子・太田淑子（2003）『毎日の聞きとり plus40 下』凡人社

The Japan Foundation London Language Centre（2006）「Mottainai!」*News Letter MADO*, Vol.25, The Japan Foundation

【参考にした教材等】

〇主に文法能力に関するもの

＜語彙や表現＞

秋元美晴・有賀千佳子(1996)『ペアで覚えるいろいろなことば　初・中級学習者のための連語の整理』武蔵野書院

小笠原信之(1991)『日常生活の分野別　日本語表現便利帳』専門教育出版

小笠原信之(1992)『豊富な文例つき　分野別・日本語の慣用表現』専門教育出版

木山三佳(2007)『ニュースで増やす上級への語彙・表現』アルク

河野桐子・野口仁美・馬原亜矢(2003)『語彙力ぐんぐん1日10分』スリーエーネットワーク

佐藤保子・三島敦子・虫明美喜・佐藤勢紀子(2008)『漢字系学習者のための漢字から学ぶ語彙①日常生活編』アルク

佐藤保子・三島敦子・虫明美喜・佐藤勢紀子(2008)『漢字系学習者のための漢字から学ぶ語彙②学校生活編』アルク

友松悦子・宮本淳・和栗雅子(1996)『どんな時どう使う　日本語表現文型500』アルク

友松悦子・宮本淳・和栗雅子(2000)『どんなときどう使う　日本語表現文型200』アルク

藤田昌志(2004)『語彙表現　中級レベルエッセンスⅠ』凡人社

藤田昌志(2005)『語彙表現　中級レベルエッセンスⅡ』凡人社

＜文法＞

安藤節子・小川誉子美(2001)『日本語文法演習　自動詞・他動詞、使役、受身－ボイス－』スリーエーネットワーク

庵功雄・清水佳子(2003)『日本語文法演習　時間を表す表現－テンス・アスペクト－』スリーエーネットワーク

小川誉子美・前田直子(2003)『日本語文法演習　敬語を中心とした対人関係の表現－待遇表現－』スリーエーネットワーク

小川誉子美・三枝令子(2004)『日本語文法演習　ことがらの関係を表す表現－複文－』スリーエーネットワーク

三枝令子・中西久実子(2003)『日本語文法演習　話し手の気持ちを表す表現－モダリティ・終助詞－』スリーエーネットワーク

白川博之(監)(2001)『中上級を教える人のための日本語文法ハンドブック』スリーエーネットワーク

＜音声＞

国際交流基金(2009)『国際交流基金日本語教授法シリーズ2　音声を教える』ひつじ書房

＜漢字＞

アジアの女たちの会立ち寄りサポートセンター(2003)『生活漢字306 英語・タガログ語版』町屋日本

語教室

加納千恵子・清水百合・竹中弘子・石井恵理子・阿久津智（2007）『INTERMEDIATE KANJI BOOK VOL.1 漢字1000Plus』凡人社

加納千恵子・清水百合・竹中弘子・石井恵理子・阿久津智・平形裕紀子（2001）『INTERMEDIATE KANJI BOOK VOL.2 漢字1000Plus』凡人社

○主に談話能力や文章の構成に関するもの

倉八順子（1997）『日本語の表現技術－読解と作文－上級』古今書院

佐藤政光・田中幸子・戸村佳代・池上摩希子（2002）『表現テーマ別　にほんご作文の方法』第三書房

○主に社会言語能力やストラテジー能力に関するもの

川口さち子・桐生新子・杉村和枝・根本牧・原田明子（2010）『上級の力をつける聴解ストラテジー上巻』凡人社

川口さち子・桐生新子・杉村和枝・根本牧・原田明子（2008）『上級の力をつける聴解ストラテジー下巻』凡人社

富阪容子（2005）『なめらか日本語会話』アルク

○背景知識や日本事情に関するもの

岡崎敏雄（1989）『日本語教育の教材－分析・使用・作成－』アルク

国際交流基金（2010）『国際交流基金日本語教授法シリーズ11　日本事情・日本文化を教える』ひつじ書房

○その他の中級・上級教材

赤木浩文・梅田エリカ・草野宗子・佐々木薫（2007）『トピックによる日本語総合演習　テーマ探しから発表へ　上級用資料集第3版』スリーエーネットワーク

アカデミック・ジャパニーズ研究会（2002）『大学・大学院留学生の日本語4　論文作成編』アルク

安藤節子・田口典子・佐々木薫・赤木浩文・坂本まり子（2010）『トピックによる日本語総合演習　テーマ探しから発表へ上級』スリーエーネットワーク

国際交流基金（2016）『まるごと　日本のことばと文化　中級1　B1』三修社

国際交流基金（2017）『まるごと　日本のことばと文化　中級2　B1』三修社

荻原稚佳子・齊藤眞理子・伊藤とく美（2007）『日本語超級話者へのかけはし　きちんと伝える技術と表現』スリーエーネットワーク

佐藤喜久雄（監）（1994）『国際化・情報化社会へ向けての表現技術3　「伝える」「考える」ための演習ノート』　創拓社

産能短期大学（1991）『日本語を学ぶ人たちのための日本語を楽しく読む本・中級』凡人社

椙本総子・宮谷敦美（2004）『聞いて覚える話し方日本語生中継　中〜上級編』くろしお出版

スリーエーネットワーク（2008）『みんなの日本語中級Ⅰ』スリーエーネットワーク

東海大学留学生教育センター口頭発表教材研究会 (1995)『日本語口頭発表と討論の技術－コミュニケーション・スピーチ・ディベートのために－』東海大学出版会

東京大学 AIKOM 日本語プログラム・近藤安月子・丸山千歌 (編) (2001)『中・上級日本語教科書 日本への招待』東京大学出版会

土岐哲・関正昭・平高史也・新内康子・石沢弘子 (2001)『日本語中級 J501－中級から上級へ－』スリーエーネットワーク

バルダン田中幸子・猪崎保子・工藤節子 (1988)『コミュニケーション重視の学習活動1　プロジェクト・ワーク』凡人社

バルダン田中幸子・猪崎保子・工藤節子 (1989)『コミュニケーション重視の学習活動2　ロールプレイとシミュレーション』凡人社

三浦昭 (監)・岡まゆみ (1998)『中・上級者のための速読の日本語』The Japan Times

斉山弥生・沖田弓子 (1996)『研究発表の方法－留学生のためのレポート作成・口頭発表の準備の手引き－』産能短期大学国際交流センター

簗晶子・大木理恵・小松由佳 (2005)『日本語 E メールの書き方』The Japan Times

山内博之 (2000)『ロールプレイで学ぶ中級から上級への日本語会話』アルク

【参考ウェブサイト】（2025 年 8 月 7 日参照）

国際交流基金「JF 日本語教育スタンダード」https://www.jfstandard.jpf.go.jp/

国際交流基金「みんなの Can do サイト」https://www.jfstandard.jpf.go.jp/cando/

国際交流基金日本語国際センター「みんなの教材サイト」https://www.kyozai.jpf.go.jp/

国際交流基金関西日本語センター「NIHONGO e な」https://nihongo-e-na.com/

参考資料1 ①

目次

はじめに
凡例
学習者の皆さんへ
登場人物

第1課 ～てもらえませんか・～ていただけませんか ………… 2

文法・練習
1. ～てもらえませんか・～ていただけませんか・～てもらえないでしょうか・～ていただけないでしょうか
2. ～のようだ・～のように・～のような～/を
3. ～ことは～が/を
4. ～ことばを言う
5. ～をという
6. いつ/どこ/何/だれ/どんな に～でも

話す・聞く お願いがあるんですが ………… 7
・頼みにくいことを丁寧に頼む・感謝の気持ちを表す

読む・書く 畳 ………… 11
・ものの歴史と良さについて書いてある文を探しながら読む

問題 ………… 14

第2課 何のことですか ………… 16

文法・練習
1. ～(1) ～たら、 (2) ～たら、～た
2. ～というのは～のことだ・～というのは～ということだ
3. …という
4. …ように言う/注意する/伝える/頼む
5. ～みたいだ・～みたいな～・～みたいに…

話す・聞く ………… 21
・わからないことばの意味を聞いて、どうすればいいか確認する

読む・書く 外来語 ………… 25
・例と意見を探す

問題 ………… 28

第3課 遅れそうなんです ………… 30

文法・練習
1. ～(さ)せてもらえませんか・～(さ)せていただけないでしょうか・～(さ)せてもらえないでしょうか・～(さ)せていただいている
2. (1) …ことにする (2) …ことにしている
3. (1) …ことになる (2) …ことになっている
4. ～てほしい・～ないでほしい
5. (1) ～そうな・～そうに… (2) ～なさそう (3) ～そうもない

話す・聞く 時間よ、止まれ！ ………… 35
・事情を説明して丁寧に謝る・丁寧に変更をお願いする

読む・書く ………… 39
・グラフから文章の内容を想像する

問題 ………… 42

第4課 お願いできますか ………… 44

文法・練習
1. …ということだ
2. ～の・…の？
3. ～ちゃう・～じゃう・～とく・～てる
4. ～(さ)せられる・～される
5. ～である
6. ～まま、～まま、～べく、～べく、…
7. (1) ～(た)がる (2) ～(た)がっている
8. ～こと・…ということ

話す・聞く 伝言、お願いできますか ………… 49
・伝言を頼む、受ける・留守番電話に伝言を残す

読む・書く 電話嫌い ………… 53
・気持ちの変化を考えながら読む

『みんなの日本語中級Ⅰ』スリーエーネットワーク

②

目 次

第 1 課　比較　　　　（1）・・・・[色のイメージ]・・・・・・・・・1
第 2 課　様子・類似　（1）・・・・[世界のじゃんけん]・・・・・・・9
第 3 課　程度・変化　（1）・・・・[不便な駐車場]・・・・・・・・17
会話文型・表現1・・・・[難しかったんじゃない?]・・・・・・・25
　―考えを言う―
第 4 課　対比・逆接　（1）・・・・[アナウンスと親切]・・・・・・29
第 5 課　伝聞　　　　（1）・・・・[タイムカプセル]・・・・・・・37
会話文型・表現2・・・・[早く終わらないかな]・・・・・・・・・45
　―願望・希望―
長文　読解練習1　　　　　　　　[似　顔　絵]・・・・・・・・・49
第 6 課　時　　　　　（1）・・・・[夢の自動運転]・・・・・・・・55
第 7 課　様子・推測　（1）・・・・[ギネスブックに挑戦]・・・・・65
第 8 課　予想・期待　（1）・・・・[100%の占い師]・・・・・・・73
会話文型・表現3・・・・[貸していただけませんか]・・・・・・・82
　―頼む―
第 9 課　原因・理由　（1）・・・・[やる気]・・・・・・・・・・・85
第10課　原因・理由　（2）・・・・[しょうがない]・・・・・・・・95
会話文型・表現4・・・・[ご一緒にいかがですか]・・・・・・・・103
　―誘う、受ける/断る―
長文　読解練習2　　　　　　　　[平均という言葉の意味]・・・・107

第11課　比較　　　　（2）・・・・[いろいろな選択]・・・・・・・111
第12課　様子・類似　（2）・・・・[格言・名言]・・・・・・・・・119
第13課　程度・変化　（2）・・・・[子供の時の夢]・・・・・・・・127
会話文型・表現5・・・・[手伝いましょうか]・・・・・・・・・・135
　―申し出る、感謝する―
第14課　対比・逆接　（2）・・・・[笑いの効果]・・・・・・・・・139
第15課　伝聞　　　　（2）・・・・[絵はがき～富士登山]・・・・・147
会話文型・表現6・・・・[欠席すると伝えてください]・・・・・・154
　―伝言を頼む・伝える―
長文　読解練習3　　　　　　　　[犬と人間]・・・・・・・・・・157
第16課　時　　　　　（2）・・・・[梅　　雨]・・・・・・・・・・161
第17課　様子・推測　（2）・・・・[トリックアート]・・・・・・・169
第18課　予想・期待　（2）・・・・[行列のできる店]・・・・・・・179
会話文型・表現7・・・・[ちょっと借りてもいい?]・・・・・・・187
　―許可を求める、応じる/断る―
第19課　原因・理由　（3）・・・・[素朴な疑問]・・・・・・・・・191
第20課　説明・結論　　　　　・・[車のコミュニケーション]・・・199
会話文型・表現8・・・・[先生に聞いてみたらどうですか]・・・・209
　―提案・助言する―
長文　読解練習4　　　　　　　　[コンビニの前の風景]・・・・・213
索　引・・・・・・・・・・・・・・・・・・・・・・・・・・・218
文型・表現シラバス一覧表

『ニューアプローチ中級日本語　基礎編　改訂版』AGP アジア語文出版

③

本文		文型	表現・語句	技能
P. 9	第1課 どんな勉強をしていますか	目標●自分の日本語学習について振り返り、いろいろな学習方法を知る。●ある状況を仮定して、自分の考えや希望、後悔の気持ちなどが表せるようになる。		
10	本文1 学習方法アンケート	1. わからない言葉があったら、ゆっくり話してもらう 2. 間違えたら指摘してくれるように相手に頼む 3. 緊張しそうになったらリラックスするようにしている 4. どのくらい〜か(を)いつも考えるようにしている	1. 一字一句訳すだけで(は)なく、全体の意味も考える	聴解・内容を予想して聞き、ポイントをまとめる 活動・自分の学習記録を考える P.20 21
14	本文2 英語との出会い	5. 成績がよくなれば英語はそれほど失敗がおもしろくなる 6. もし、手紙を書かなかったらどうなっていたわけか	2. 迷子(に)、英語の専門学校に進みました 3. もらった英語で手紙を送るだけしかない 4. もらった英語で手紙を送るわけがない 5. 「出会い」というのはおもしろいものだと思います	
25	第2課 今、よろしいですか	目標●相手の話の方を意識したり相手の都合を配慮しながら依頼ができるようになる。●言葉だけではなく、話の進め方を考えて会話を組み立てる。	●相手との関係を考え、言葉を使い分けられるようになる。	
26	本文1 間違えやすい敬語	1. お電話してもよろしいでしょうか 2. 試験を受けられるんですか	1. 私でいいんですか 2. できたら、午前中がいいんですが	聴解・言葉遣いから人間関係を推測する 発話・相手の都合を考えて依頼する 作文・書き置きのメモを書く 40 42 49
29	本文2 ちょっと見ていないだけでしょうか	3. 見ていないだけでしょうか/ていただけませんか	3. 何かわからないことがあったら、いつでも聞いてください 4. 丁寧に話すとかえって他人行儀ですよ	読解・論説文の段落構成を意識して読む 51
36	本文3 何と言えばいいでしょうか	4. 何と言えばいいでしょうか 5. 今みたいな(の)どう時は、〜	5. 「そうだね」って言ってもいいかな 6. 「何て言えばいいのかな」	
65	第3課 消えたダイヤ	目標●現在および過去の、人や物の様子を描写できるようになる。		
66	本文1 盗難現場	1. ショーケースを見ています ガラスが割れています		読解・新聞の事件記事を読む 79
71	本文2 事情聴取	2. 電気が消えた時、停電だと思いました 3. 誰かが飛び出して行くような気がします 4. 指輪を見ているんでしょうか 5. ショーケースが割れていました 6. 体中電気をつけようとしたんですが、〜 7. 自動ドアは開かなかったはずです	1. ガチャンガチャンという音が聞こえました(擬声語) 2. 出て行こうとする気配がちょっと… 3. 店が開こうもないようになと思ったので、〜	
84	第4課 敏子さんの転職	目標●事象をを中心として自分の気持ちを表現することができるようになる。		●性格や行動の傾向を含めた自己紹介ができるようになる。
86	本文1 敏子さんの悩み	1. 実は、会社をやめようかと思っているんです 2. 重要なことなかなか言わせてもらえない 3. 10年はやめるつもりはないって言ったのに〜 4. 最近の人はすぐにやめようとするんだよね 5. 自分を変えるようにしないといけるんだけど 6. 理由はわかるわけじゃないんですが 7. やめようにもやめられないような	1. 東邦銀行に勤めて8年になるOL 2. 最低は10年勤めるつもりだって言ったのに、 3. やめるまいと思っていたんですが 4. 人間関係がうまくいかないとか、給料が少ないとか… 5. 問題があっても、我慢しているだけだな 6. 不満があるわけじゃないわけではないんですね 7. どんな仕事に就こうと考えているんだ 8. 敏子ちゃんは仕事が早いほう？	作文・目上の人にお礼と報告の手紙を書く 聴解・場面に合った自己紹介を理解する 発話・場面に合った自己紹介をする 99 103 104
94	本文2 適職判断テスト	7. じっとしていることがある	9. 人を驚かせることがある 10. 〜は違いてはいけない 11. 明るく大社交的で思いやりがある（性格や行動の傾向を表す言葉）	

『文化中級日本語Ⅰ』文化外国語専門学校

④

CONTENTS

1. INTRODUCING (紹介する)

STEP1 同窓会の写真 …… 1
TOPIC (話題) いっしょに写真を見ながら友だちを紹介する …… 2
GRAMMAR (文法) ❶連体修飾節 ❷~ている1 ❸~そう1 (様態)
VOCABULARY (語彙) 仕事 会社 印象

STEP2 あのころ、そのころ …… 11
TOPIC (話題) 子供のころの思い出について話す
GRAMMAR (文法) ❶こそあ ❷~という ❸なにかを思い出す時よく使う表現

STEP3 あなたはどんな性格？ …… 20
TOPIC (話題) 自分や友だちの性格について話す
GRAMMAR (文法) ❶性格について話す時よく使う表現1
❷性格について話す時よく使う表現2
VOCABULARY (語彙) 性格

2. TAKING A TRIP (旅行する)

STEP1 ベトナムへ行こう！ …… 29
TOPIC (話題) 日本人の友だちに自分の国(町)について紹介する …… 30
GRAMMAR (文法) ❶存在文 ❷~たら/~なら ❸というのは~のことです
VOCABULARY (語彙) 地理 宗教 気候

STEP2 ベトナムに行く前に …… 38
TOPIC (話題) あなたの国(町)を旅行する日本人の友だちにアドバイスをする
GRAMMAR (文法) ❶~たほうがいい/~ない ❷~てある/~ておく
❸もう~/まだ~
VOCABULARY (語彙) 持ち物

STEP3 日本の観光地：長崎 …… 46
TOPIC (話題) 自分の国(町)の位置や歴史、特色などについて紹介する
GRAMMAR (文法) ❶有名な物について話す時よく使う表現 ❷物の起源や
由来について話す時よく使う表現 ❸位置を表す表現
VOCABULARY (語彙) 都市の特徴

3. CROSS CULTURE (異文化に触れる) …… 55

STEP1 フィリピンでの留学生活 …… 56
TOPIC (話題) 日本に来てからの生活変化について話す
GRAMMAR (文法) ❶可能形 ❷~なる ❸~なってくる ❹~ばかり
VOCABULARY (語彙) カルチャーショック

STEP2 フィリピン人の国民性 …… 64
TOPIC (話題) 自分の国(町)の人々と比べながら、日本人の印象について話す
GRAMMAR (文法) ❶比較・対比の表現 ❷~ようだ ❸~ような気がする
VOCABULARY (語彙) 国民性

STEP3 帰国前の大失敗 …… 73
TOPIC (話題) 自分の国(町)の風俗や習慣、タブーなどについて話す
GRAMMAR (文法) ❶~てしまう ❷つもり ❸~なければならない/~てはいけ
ない/~てもいい/~なくてもいい ❹~わけにはいかない

4. FUTURE (未来) …… 81

STEP1 それぞれの夢 …… 82
TOPIC (話題) 将来の希望や夢について話す
GRAMMAR (文法) ❶~たい/~てみたい ❷~(よ)うと思う/~ことにする
❸~ことになる

STEP2 30年後の世界 …… 91
TOPIC (話題) 30年後の日本、自分の国(町)、世界について自分の予想を話す
GRAMMAR (文法) ❶~だろう/~かもしれない ❷~ようだ 2
❸絶対/きっと/たぶん/もしかすると
VOCABULARY (語彙) 社会の問題

STEP3 未来の新製品 …… 99
TOPIC (話題) 「こんなものがあったらいいなあ」と思うものについて、想像を膨
らませながら話す
GRAMMAR (文法) ❶~て/~ば ❷自動詞・他動詞 ❸~ようになっている
VOCABULARY (語彙) 自動詞・他動詞

『J. Bridge』凡人社

⑤

学習項目一覧

課	タイトル	読むまえに・読み方のくふう	文法ノート	練習A	練習B	ことばのネットワーク	書いてみよう・話してみよう
	この教科書をお使いになる先生方へ						
	表記と記号						
	本マニュアルの見方						
	目次						
第1課	文化と偏見	異文化について考えたり述べたりするときの過剰な一般化と偏見の言動を反省する。 「国民性」ということば基に、自分が抱くある国の国民性について考える。 異文化理解の際に行なう過剰な一般化および偏見について読み取る。 各「国民性」の共通点・相違点を理解し合う。	①〜からといって ②〜ともかぎらない むしろ ③〜かねない ④〜たりする と ⑤〜を問わず	☞練習A④ ☞練習A③、④、⑤ ☞練習A⑥ ☞練習A① ☞練習A②	キーワードに基づく文章把握	① 本文の新出語彙 ② 状態を表わす動詞「〜ている」/ノート+名詞 ③ 人間の性格を表わすことば ④ 接辞 〜同〜、異〜、〜化、〜か、〜的、〜性	書いてみよう ① 「一般論その1」→「それに対する自分の意見その1」→「一般論その2」→「それに対する自分の意見その2」→「結論」という文章の流れに合わせて文章を書く 話してみよう ① 自分が考える各国の国民性について意見を発表する ② 話し合いの進行を決めて話し合う [進行係が使用する表現] * 話し合いを開始する * 感想を聞く * 意見を聞く・求める * 質問を求める * 話し合いの内容をまとめる * 話し合いを終了する
第2課	マナーもいっしょに「携帯」	電話や電話の機能の長所・短所を考え、話し合う。 問題提起と例・意見を述べる。 携帯電話の使用によって生じている社会問題を知る。 各種の電話の長所・短所を引き起こすまざまな行動について内省する。 日常生活の諸問題を引き起こすまざまな行動について内省する。	①〜について ②〜によっては ③〜かねない ④〜とみられる ⑤〜という（伝聞）	☞練習A②、③ ☞練習A②① ☞練習A①① ☞練習A①③ ☞練習A①②	問題提起、事例、意見の順に文章を並べ替える	① 本文の新出語彙 ② 複合動詞 〜出す、〜入れる ③ 類義語 ④ 身体語彙を使った慣用句 ⑤ 接辞 〜源	書いてみよう ① 「問題提起→事例→それに対する意見」という文章の流れに合わせて文章を書く 話してみよう ① 原稿を見ながら発表する * 始めのことばを補足する * 原稿で使用した「普通体」を「丁寧体」に言い換えながら原稿を基に話す * 終わりのことばを補足する ② 発表についてグループで話し合う ③ グループで話し合ったことをまとめてグループの意見として報告する

『日本語中級 J501 －中級から上級へ－教師用マニュアル』スリーエーネットワーク

参考資料2 「中級」「上級」教材の「話題」の例
(テキストの目次、読解文タイトル)

①安藤節子他『トピックによる日本語総合演習 テーマ探しから発表へ 上級』

目次	読み物のタイトル等
1. 食文化	情報1:グラフ 情報2:読み物「生うか、焼いて食べるか」
2. 仕事	情報1:グラフ 情報2:読み物「働くということ」
3. 生活習慣と宗教	情報1:グラフ 情報2:読み物「宗教心」
4. リサイクル	情報1:グラフ 情報2:読み物「循環型社会」
5. ジェンダー	情報1:グラフ 情報2:読み物「女の領域、男の領域」

②安藤節子他『改訂版 トピックによる日本語総合演習 テーマ探しから発表へ 中級後期』

目次	読み物のタイトル等
1. 教育	情報1:グラフ 情報2:読み物「父の寺子屋式教育」
2. 言葉	情報1:グラフ 情報2:読み物「ことわざのおもしろさ」
3. コミュニケーション	情報1:グラフ 情報2:読み物「非言語コミュニケーション」
4. 昔話	情報1:グラフ 情報2:読み物「昔話について」
5. 住宅	情報1:グラフ 情報2:読み物「玄関」

③文化外国語専門学校『文化中級日本語Ⅱ』

課のタイトル	本文タイトル	(素材の種類)
第1課 ニュースと新聞	1 地震の記事 2 文化タイムズ	(新聞記事) (ミニコミ誌)
第2課 世界旅行	1 お元気ですか 2 日本の旅行ガイド	(絵はがき) (ガイドブック)
第3課 異文化間コミュニケーション	1 ステレオタイプって何ですか? 2 何でも言ってみよう	(専門書) (スピーチ原稿)
第4課 スポーツと余暇	1 世にも珍しいスポーツ 2 余暇に求めるもの	(雑誌記事) (白書)
第5課 日本の歴史	1 平成時代 2 翻訳の苦労	(歴史の教科書) (新書)
第6課 言葉と文化	1 かな言葉 2 だるま	(事典) (エッセイ)
第7課 日本人と食生活	1 日本の食文化 うなぎ 2「食」を見直す	(新聞のコラム) (新聞の社説)
第8課 生活と環境	1 地球が危ない 2 私たちにできること	(広報) (現代社会の教科書)

④小柳昇他『ニューアプローチ中上級日本語[完成編]』

課のタイトル	本文タイトル
第1課 主題・対象を示す	カタカナ言葉
第2課 時・場面を示す	鉄腕アトムを目指せ
第3課 談話で学ぶ会話文型・表現1―誘う～ためらう～説得―	それはそうだけど
長文 事柄を並べる	食生活を見直そう
第4課 読解練習1	三つの異文化体験
第4課 対象を限定・特定する／しない	4つのR
第5課 談話で学ぶ会話文型・表現2―苦情～謝る～解決―	ここに止められると困るんですよ
第6課 事柄を加える(1)	ブレーパーク
長文 言い換える・まとめる	実感
第7課 読解練習2	それでいいんじゃない
第7課 言い換える・加える	長寿国にふさわしい社会
第8課 時・場面を示す(2)	原因はどこに?
談話で学ぶ会話文型・表現3―相談～提案（賛成、反対）～決定―	言葉の世界を楽しむ
第9課 因果関係を示す	朝、一番でお願いします
長文 読解練習3	あいまいな境界線
第10課 談話で学ぶ会話文型・表現4―訂正～変更～確認―	テレビを見る時間、見ない時間
第11課 談話で学ぶ会話文型・表現5―反省～慰め～同情～励ます―	マニュアルとユーモアセンス
第11課 逆説のつながりを示す(1)	もう少し気をつけていれば
第12課 条件を示す	税金に関心がありますか
第12課 逆説のつながりを示す	柔軟樹とその先
談話で学ぶ会話文型・表現6―意見～対立（論議）～まとめ―	おっしゃることはわかりますが

⑤日鉄ヒューマンデベロプメント他『日本語を話そう[第3版]』

目次
第1課 住宅事情
第2課 結婚と女性
第3課 高齢化社会
第4課 日本料理
第5課 平等社会と中流意識
第6課 教育
第7課 伝統芸術
第8課 日本的経営
第9課 日本人の労働気質
第10課 集団意識と肩書き
第11課 社会保障と社会参加活動
第12課 年中行事
第13課 政治のしくみ
第14課 日本の歴史1
第15課 日本の歴史2

⑥スリーエーネットワーク『みんなの日本語中級Ⅰ』

読解文タイトル
第1課 畳
第2課 外来語
第3課 時間よ、止まれ!
第4課 電話嫌い
第5課 地図
第6課 メンタルトレーニング
第7課 まんじゅう、怖い
第8課 科学者ってどう見える
第9課 カラオケ
第10課 記憶型と注意型
第11課 白川郷の黄金伝説
第12課 「座談会」日本で暮らす

⑦東京大学AIKOM日本語プログラム他『日本への招待[第2版][テキスト]』

テーマ		読解資料
(はじめに)イメージの日本・日本人		
テーマ1 女性の生き方	資料-1	働く女性の生活
	資料-2	私たちの選択
	資料-3	働く女性の国際比較
	資料-4	新しい家族のための経済学
	資料-5	女性を長期観察に
テーマ2 子どもと教育	資料-1	規律厳守の生徒指導
	資料-2	「登校拒否」って何?
	資料-3	マリオネット・デイズ
	資料-4	親子の姿 重ねた体験
	資料-5	フリースクール修了生の声
	資料-6	多様化する教育
テーマ3 若者の感性	資料-1	いつの時代も若者は
	資料-2	視線平気症候群
	資料-3	来店600人 友人ゼロ
	資料-4	若者の友人関係
	資料-5	若者と時代
テーマ4 仕事への意識	資料-1	変わる職場の風景
	資料-2	顔色の登り道
	資料-3	満員電車
	資料-4	暮らしを守る力会
	資料-5	会社と日出る杭・出ない杭
	資料-6	新しい時代の働き方
テーマ5 日本の外国人	資料-1	在日ブラジル人 脱・出稼ぎ
	資料-2	外国人はほずらしい?
	資料-3	外国人街、各地に続々と
	資料-4	外国人の今・定住に力
	資料-5	さまざまな共生の試み
(おわりに)多様化する日本・日本人		

⑩小山悟『J. Bridge 新装版』

課のタイトル		STEPタイトル
1. INTRODUCING(紹介する)	STEP1	同窓会の写真
	STEP2	あのころ、そのころ
	STEP3	あなたはどんな性格?
2. TAKING A TRIP(旅行する)	STEP1	ベトナムへ行こう
	STEP2	ベトナムに行く前に
	STEP3	日本の観光地:長崎
3. CROSS CULTURE(異文化に触れる)	STEP1	フィリピンでの留学生活
	STEP2	フィリピン人の国民性
	STEP3	帰国前の大失敗
4. FUTURE(未来)	STEP1	それぞれの夢
	STEP2	30年後の世界
	STEP3	未来の新製品
5. MYSTERY(ミステリー)	STEP1	殺人事件再現場
	STEP2	目撃者の証言
	STEP3	三億円事件
6. BEST PARTNER(ベスト・パートナー)	STEP1	理想の結婚
	STEP2	一言って伝えて
	STEP3	国際結婚
7. FOOD AND HEALTH(食と健康)	STEP1	スターへの健康法
	STEP2	アロマテラピー
	STEP3	あなたは知らせますか
8. EDUCATION(教育)	STEP1	日本の大学
	STEP2	親の立場、子の立場
	STEP3	学校へ行かない子供たち

⑧鎌田修他『生きた素材で学ぶ 中級から上級への日本語』

	目次
ユニット1	ひと味違う自己紹介
ユニット2	間取りの本当の意味
ユニット3	買う楽しみ
ユニット4	不思議な習慣
ユニット5	地球を守る
ユニット6	心と体のバランス
ユニット7	いまどきの大学生
ユニット8	日本の会社に入るまで
ユニット9	日本の子どもたち
ユニット10	女と男

⑨土岐哲他『日本語中級J501 中級から上級へ』

	目次
第1課	文化と偏見
第2課	マナーもいっしょに「携帯」
第3課	「在外」日本人
第4課	心の交流
第5課	洋服の色で知る今日のわたし
第6課	ひとしずくの水にあふれる個性
第7課	夢みる恋の日記帳
第8課	法とことば
第9課	奈良技からの電話
第10課	ゾウの時間とネズミの時間

①安藤節子、田口典子、佐々木薫、赤木浩文、坂本まり子編(2001)『トピックによる日本語総合演習 テーマ探しから発表へ 上級』スリーエーネットワーク
②安藤節子、佐々木薫、赤木浩文、田口典子、鈴木孝恵編著(2009)『改訂版 トピックによる日本語総合演習 テーマ探しから発表へ中級後期』スリーエーネットワーク
③文化外国語専門学校編(1994)『文化中級日本語Ⅱ』凡人社
④小柳昇、岩井理子(2002)『ニューアプローチ中上級日本語 [完成編]』日本語研究社
⑤日鉄ヒューマンデベロプメント、日本外国語専門学校著(2001)『日本語を話そう[第3版]ジャパンタイムズ
⑥スリーエーネットワーク、富山佳子、宮谷敦美、新内康子(1998)『みんなの日本語中級Ⅰ』スリーエーネットワーク
⑦東京大学AIKOM日本語プログラム、近藤安月子、丸山千歌編著(2008)『日本への招待(第2版)』[テキスト]東京大学出版会
⑧鎌田修、根本牧子、富山佳子、宮谷敦美、新内康子(1998)『生きた素材で学ぶ 中級から上級への日本語』ジャパンタイムズ
⑨土岐哲、関正昭、平高史昭、新内康子、石沢弘子(1999)『日本語中級J501 中級から上級へ』スリーエーネットワーク
⑩小山悟(2009)『J. Bridge 新装版』凡人社

189

【執筆者】

藤長かおる（ふじなが　かおる）

久保田美子（くぼた　よしこ）

木谷直之（きたに　なおゆき）

◆教授法教材プロジェクトチーム

久保田美子（チームリーダー）

阿部洋子／木谷直之／木田真理／小玉安恵／岩本（中村）雅子／長坂水晶／簗島史恵

※執筆者およびプロジェクトチームのメンバーは、初版刊行時には、すべて国際交流基金日本語国際センター専任講師

イラスト　岡﨑久美

国際交流基金 日本語教授法シリーズ
第10巻「中・上級を教える」

The Japan Foundation Teaching Japanese Series 10
Teaching Intermediate and Advanced Learners
The Japan Foundation

発行	2011年 3月30日　　初版1刷
	2025年 9月24日　　　13刷
定価	1300円＋税
著者	国際交流基金
発行者	松本 功
装丁	吉岡 透 (ae)
印刷・製本	三美印刷株式会社
発行所	株式会社ひつじ書房

〒112-0011　東京都文京区千石2-1-2　大和ビル2F

Tel：03-5319-4916　Fax：03-5319-4917

郵便振替　00120-8-142852

toiawase@hituzi.co.jp　https://www.hituzi.co.jp/

Ⓒ2011 The Japan Foundation

ISBN978-4-89476-310-4

造本には充分注意しておりますが、落丁・乱丁などがございましたら、小社かお買い上げ書店にておとりかえいたします。

ご意見・ご感想など、小社までお寄せくださされば幸いです。

―――――― 好評発売中！ ――――――

日本語学習アドバイジング
自律性を育むための学習支援
木下直子・黒田史彦・トンプソン美恵子著　定価 2800 円＋税

使える日本語文法ガイドブック
やさしい日本語で教室と文法をつなぐ
中西久実子・坂口昌子・大谷つかさ・寺田友子著　定価 1600 円＋税

場面とコミュニケーションでわかる日本語文法ハンドブック
中西久実子編　中西久実子・坂口昌子・中俣尚己・大谷つかさ・寺田友子著
定価 3600 円＋税